La collection ROMANICHELS
est dirigée par Josée Bonneville.

Le syndrome de la vis

La petite et le vieux, Montréal, XYZ éditeur, coll. «Romanichels», 2010; Montréal, Bibliothèque québécoise, 2012.

Marie-Renée Lavoie

Le syndrome de la vis

roman

éditeur

Catalogage avant publication de Bibliothèque et Archives nationales du Québec et Bibliothèque et Archives Canada

Lavoie, Marie-Renée, 1974-

  Le syndrome de la vis

  (Romanichels)

  ISBN 978-2-89261-705-4

  I. Titre. II. Collection: Romanichels.

PS8623.A851S96 2012   C843'.6   C2012-941786-6
PS9623.A851S96 2012

Les Éditions XYZ bénéficient du soutien financier des institutions suivantes pour leurs activités d'édition:
– Conseil des Arts du Canada;
– Gouvernement du Canada par l'entremise du Fonds du livre du Canada (FLC);
– Société de développement des entreprises culturelles du Québec (SODEC);
– Gouvernement du Québec par l'entremise du programme de crédit d'impôt pour l'édition de livres.

L'auteure tient à remercier le Conseil des arts et des lettres du Québec pour son appui financier.

Conception typographique et montage: Édiscript enr.
Graphisme de la couverture: Zirval Design
Illustration de la couverture: J. van der Wolf, Shutterstock.com
Photographie de l'auteure: Martine Doyon

Copyright © 2012, Marie-Renée Lavoie
Copyright © 2012, Les Éditions XYZ inc.

ISBN version imprimée: 978-2-89261-705-4
ISBN version numérique (PDF): 978-2-89261-706-1
ISBN version numérique (ePub): 978-2-89261-724-5

Dépôt légal: 4ᵉ trimestre 2012
Bibliothèque et Archives nationales du Québec
Bibliothèque et Archives Canada

Diffusion/distribution au Canada: **Diffusion/distribution en Europe:**
Distribution HMH   Librairie du Québec/DNM
1815, avenue De Lorimier   30, rue Gay-Lussac
Montréal (Québec) H2K 3W6   75005 Paris, FRANCE
www.distributionhmh.com   www.librairieduquebec.fr

Imprimé au Canada

www.editionsxyz.com

Le bouleau, ne voyant que ses branches et leurs feuilles brunes et vertes, disait qu'il aurait préféré être blanc.

JACQUES FERRON,
L'amélanchier

Mon sommeil est si semblable à la veille qu'il ne mérite pas son nom.

RAYMOND CHANDLER,
Le grand sommeil
(trad. de Boris Vian)

1

Les deux nombres qu'elle répète ne me disent rien. Dix-sept et treize. C'est d'ailleurs parce que je ne comprends pas qu'elle les répète ainsi, en modulant légèrement sa voix, histoire de bien faire entendre qu'elle les répète, oui, mais sans perdre patience. Un peu comme on parle aux enfants sages, ou aux personnes âgées qu'on n'arrive plus à voir que comme des enfants débiles. Sur le comptoir qui nous sépare, ses doigts essaient discrètement de griffer le bois verni. Elle voudrait bien que dix-sept et treize, dans cet ordre bien précis puisqu'elle les martèle sans les interchanger, fassent sens pour moi, mais mon cerveau pétrifié n'arrive à aucune déduction signifiante. Alors elle grafigne, patiemment.

Dix-sept et treize. Je regarde mes doigts, j'en ai cinq dans chaque main, dix en tout. Dix-sept et treize, trente. Concile de. Quelle date aujourd'hui? Dix-sept moins treize, quatre saisons, quatre mousquetaires, en comptant l'autre, là, quatre ingrédients dans le gâteau quatre-quarts. Dix plaies d'Égypte + Sept Merveilles du monde = dissète, plein de vendredis treize, un à toutes les dix-sept semaines peut-être. Treize apôtres, il paraît. Mais non, je ne vois pas. Une femme derrière moi s'approche pour voir ce que je ne comprends pas, elle ne comprend pas que je ne comprenne pas, je suis si jeune, c'est beaucoup plus tard qu'on

9

devient dur de la feuille et/ou de comprenure, elle le sait bien. Son souffle sulfureux me brûle la peau du cou. Dix-sept et treize. C'est peut-être l'heure. Mais la jeune fille ne dit pas dix-sept heures treize, seulement dix-sept et treize. On s'impatiente, derrière, l'air sort très vite du corps en sifflant. Je peux probablement égorger quelqu'un en dix-sept secondes treize centièmes. Elle est beaucoup trop près, à dix-sept et treize = trente millimètres de me planter ses seins dans le dos. Dix-sept coups de couteau, treize dedans, quatre à côté par maladresse, treize minutes d'agonie, dix-sept ans de prison. Dix-sept et treize, 1713. Du plus profond des abysses de mon subconscient rejaillissent les vestiges d'une vieille leçon d'histoire que je susurre imperceptiblement entre mes lèvres crispées.

— Traité d'Utrecht.

C'est seulement à ce moment que les pains cordés dans d'énormes corbeilles d'osier se dessinent derrière elle, que j'aperçois les vitrines garnies de pâtisseries, les gens qui s'affairent dans l'arrière-boutique et ceux qui se sont massés derrière moi, de plus en plus nombreux, durant la petite éternité de mon absence cérébrale.

— Dix-sept dollars et treize.

— Treize cents?

Je dis ça pour donner le change, faire semblant que j'avais seulement mal entendu depuis le début.

— Excusez-moi, je suis très fatiguée.

Elle ne répond rien, ne sourit pas. Tous ceux qui débarquent ici en fin de journée sont fatigués. Elle aussi veut partir, cesser de dire des chiffres à des gens qui demandent toujours de répéter et qui font tous les mêmes commentaires sur la lourdeur des sous qui s'accumulent dans le portefeuille plein de tout sauf de feuilles. Je farfouille dans mon sac à main, paie et sors en courant, chargée d'un sac lesté de ce qu'on peut acheter aujourd'hui dans une boulangerie pour 17,13 $. Peu de chose, c'est léger. Le museau d'une baguette me jette un œil torve depuis l'ouverture du sac. Le 123ᵉ sac de tissu qu'on me remet gracieusement depuis le début des hostilités contre le sac de plastique. Aujourd'hui, tout citoyen consciencieux a de quoi se fabriquer une bonne yourte en peau de sacs recyclables qui offrent une impressionnante résistance aux intempéries et à la décomposition.

J'ai besoin de dormir. Je rentre. Envie ou pas, capable ou pas, je dois dormir.

Dans ma voiture, j'étête la baguette menaçante pour m'occuper la bouche et me tenir éveillée le temps de me rendre chez moi.

Dans cet état, je n'ai plus aucune défense. Depuis les haut-parleurs mal balancés de ma voiture, la femme de ménage cogne en hurlant: «Je veux changer de personnage!» Je me mets à pleurer à gros sanglots comme si je n'en pouvais plus de torcher les autres, les ceusses qui passent alors que, moi, je reste. Je coule, entraînée par le flux d'une peine empruntée qui m'habite pleinement.

Je suis si fatiguée.

Je ne vois bientôt plus rien. Le filtre double-déformant de mes larmes et de la pluie sur le pare-brise liquéfie le décor. Et je ne sais plus du tout où je suis ni où je vais. Je lève le pied de l'accélérateur pour me donner le temps de penser et m'éviter de me perdre. On me dépasse, me klaxonne, mais l'illumination ne vient pas. Mort cérébrale, derechef. Je jette un œil trempé sur ma montre: une aiguille vise à peu près le quatre, l'autre chevauche le dix. Je n'ai aucune idée de ce que ça veut dire. Nous y revoilà, quatre et dix. Soir ou matin? Le temps entre chien et loup ne m'est d'aucun secours. Quatre quoi, d'ailleurs? Dans l'habitacle déjà martelé par la pluie, la montre me fait le coup du supplice chinois et tictaque en crescendo chaque micro-unité de temps. Quatre et dix. L'organisation du monde m'apparait bien hasardeuse ; il suffit de ne plus savoir lire l'heure pour être aussitôt jeté dans les affres de l'incertitude existentielle. Je porte au bras un disque sous verre sur lequel des chiffres et des aiguilles de métal disposés régulièrement glissent à différentes vitesses et se croisent sans heurt ; ça pourrait très bien être une boussole.

Je quitte le boulevard et me stationne dans la première petite rue tranquille que je trouve. Rue Champfleury. Un nom si naïvement beau pour une talle informe de béton percée çà et là de jeunes pousses d'arbres et de mottes boueuses de gazon. Des strates de vieille neige s'emboîtent en déclinant toute la palette des gris sales que dévoile le printemps naissant. Au moins je ne suis pas loin de chez moi, quelques kilomètres, une lieue peut-être. Je connais bien le coin. Alors je sors, empoigne le sac de la boulangerie à moitié vide, le sac à main, l'autre sac, le lourd, celui que je sais plein de copies à corriger dans lesquelles Cyrano de Bergerac va se faire malmener et rebaptiser cent vingt fois, et je pars à l'aventure à pied, bien décidée à ne tuer personne en cette fin de journée pluvieuse. J'arrache la chose sanglée à mon poignet et la jette dans le premier égout que je croise. Je l'imagine descendre à vingt mille lieues sous la merde avant d'imploser sous la pression brune. La destruction d'objets est un formidable exutoire.

Les rues sont pratiquement désertes. Les gens que je croise pressent le pas, le visage fermé, les mains sur la tête ou solidement cramponnées au col de leur manteau pour empêcher la pluie glacée de se frayer un chemin dans la tranchée vertébrale qui leur fend le dos du cou à l'entre-fesses. Je marche à côté de moi, à côté de ce corps qui ne m'appartient plus. Les pieds se soulèvent encore, je le vois bien, mais ça ne me concerne plus. Dormir, il faut que je dorme. Et dans cet état je suis prisonnière de la bouillie de souvenirs désagréables qui m'emplissent la tête, comme chaque fois que je n'ai plus la force de la maîtriser. La boucle infernale des plus mauvaises scènes de la journée commence son cycle, sans qu'il y manque un mot, pour ne s'arrêter qu'avec l'arrivée de la nausée.

Ma collègue voisine de bureau me parle. « Ça me fait penser que j'suis pas allée au syndicat depuis longtemps pour voir les négos pour toutes les affaires, je sais pas si t'es allée mais en fait je sais même pas si c'est encore Claude qui est là pour s'occuper du dossier mais ça changerait rien de toute façon c'est comme mon beau-frère avec les histoires de la commission d'enquête en bout de ligne ceux qui s'occupent des dossiers sont plus là mais les autres sont toujours ben un peu au courant c'est comme nous autres dans nos cours quand y faut se remplacer les uns les autres à pied levé comme la petite Julie qui est partie enceinte avant le temps on savait pas mais on s'arrange… » Je ne l'ai pas souhaité. « … je sais pas si c'est la petite brunette là j'oublie son nom qui l'a remplacée était ben déçue ça se comprend en début de session de pas avoir de cours mais là elle doit être contente c'est pas évident d'attendre de même pis souhaiter même si tu veux pas la maladie des autres pour travailler au moins c'est pas une maladie c'est déjà ça de gagné malgré que des fois avec les nuits blanches ça peut ressembler à de la maladie je me rappelle moi dans le temps on avait pas en plus les congés que vous avez vous autres… » Je veux que ça arrête. « … mais c'est ben tant mieux pour vous autres on s'est battus ma fille va pouvoir en profiter si un jour elle se décide mais ça c'est une autre affaire avec son en tout cas je sais pas trop comment le nommer mais mettons qu'à l'âge qu'ils ont je leur souhaite quand même maintenant, même si elle me dit toujours que je suis fatigante, je le sais ben on verra de toute façon...» Alors je ferme doucement...

«... fait que je pense que je vais aller...»... ma porte de bureau.

«... faire un tour au syndicat pour voir.... » Amen.

Jusqu'à ce qu'on gratte à ma porte.

— S'cusez-moi, madame.

— Oui.

— J'peux-tu vous parler deux minutes?

— Laisse-moi deviner: tu pourras pas me remettre ton travail aujourd'hui.

— Ben c'est que...

— Même si c'est prévu depuis le début de la session, comme c'est écrit dans ton plan de cours, même si je l'ai répété chaque semaine depuis le jour de la rentrée.

— Oui, ben non, mais c'est parce que...

— C'est parce qu'aujourd'hui, pas les autres jours, non, aujourd'hui, jour de la remise, y t'arrive quelque chose de terrible.

— Eeeee... oui, ben c'est que eee...

Elle y va de la petite main en éventail secouée devant son visage pour calmer l'ardeur des émotions qui l'assaillent. Il y a mort de grand-mère ou d'imprimante sous roche.

— J'avais commencé mais...

Des petites larmes noircies tracent une droite brisée depuis ses cils généreusement goudronnés jusqu'à la courbe plongeante de son menton. C'est une jolie fille.

— Mais...

— T'as jusqu'à cinq heures...

— C'est que là... j'ai pas vraiment la tête à ça... parce que...

— Hum...

— C'est parce que…

— Peu importe, ça va te changer les idées, faut que tu penses à autre chose. Cinq heures.

Et sans trop y croire moi-même, je referme tout simplement la porte, érigeant devant son malheur, dont j'ignore parfaitement la nature, une pleine porte d'absence d'empathie de trois pouces d'épaisseur. Les madame-c'est-parce-que ne pénètrent plus ma tête, sont refoulés dès qu'ils atteignent les colimaçons de mes oreilles.

La scène se rembobine et se déroule sans cesse jusqu'à ce que la bile m'emplisse la bouche.

— S'cusez-moi, madame.

— Oui.

— J'peux-tu vous parler deux minutes ?

— S'cusez-moi, madame.

— Oui.

— S'cusez-moi, madame.

— S'cusez-moi, madame.

J'ai dans la tête une vis sans fin qui ne me laisse tranquille qu'une fois mes idées, mes peurs, mes souvenirs hachés menu, désubstantialisés par les engrenages qu'elle met en marche. Elle tord mes pensées jusqu'à plus sec, jusqu'à la fragmentation des images qui les constituent en molécules de rien. Je ne peux rien contre elle, c'est mon ennemi intérieur.

La petite flaque qui s'est formée au fond de mes souliers crée une succion déplaisante quand je lève les pieds. Mes cheveux trempés me piquent les yeux, me collent au crâne pour en révéler la forme inélégante. Le poids de mes sacs m'exaspère, le col de mon manteau n'est plus qu'une crêpe pâteuse avachie sur mes épaules. Si quelqu'un devait s'arrêter sans prévenir devant moi et me barrer le chemin, je l'assommerais d'un bon coup de sac d'école sur la tempe.

Ça me purgerait d'une partie de ma rage et libérerait le trottoir. Mais il n'y a personne devant moi, personne nulle part. Tant pis tant mieux.

Alors je décharge mes pulsions meurtrières sur les vers de terre, cette horde rampante de parfaits imbéciles qui n'ont toujours pas appris, en quelques millénaires d'évidente non-évolution, que du béton mouillé reste du béton en toutes circonstances et que ce n'est pas une bonne cachette pour fuir leurs souterrains inondés. Je les écrase en serrant les dents, m'y reprenant par deux ou trois fois au besoin pour m'assurer de leur mort, pas de chance à prendre, ils sont bien capables de se refaire une vie avec un demi-centimètre de boyau. Sous mes pas se dessine une ligne pointillée faite de petites taches roses qui relie mon appartement et ma voiture.

J'aperçois au loin le néon de Patate Bardy, le petit casse-croûte bâti en diagonale sur le coin des rues Bardy et Maufils. J'arrive, le rivage est en vue. Corona, la propriétaire, fume dehors, à moitié cachée par la corniche de sa petite bicoque. À neuf pouces de la porte, son interprétation de la loi. Depuis la soudaine popularité des bières mexicaines, elle ne dit jamais plus son nom, on ne la croit pas quand elle explique que c'est un vieux nom des pays d'en haut, comme Rose-Anna ou Ange-Aimée. Quand il vivait, mon père adorait l'endroit, prétextait des courses ici et là pour passer me voir et s'y arrêter pour un *take out*. La première fois, Corona l'avait accueilli, comme une fille de joie capable de deviner ses désirs les plus inavouables. Elle l'avait observé pendant qu'il étudiait le menu sans parvenir à y trouver son bonheur, puis lui avait lancé: «Un p'tit sannewich aux frites?» Les jambes de mon père étaient devenues molles comme les frites qu'elle avait finalement emprisonnées entre deux tranches *plain* bien arrosées de ketchup. Et quelques minutes plus tard, dans ma cuisine encore encombrée de boîtes, j'avais cru voir une perle au coin de ses yeux quand il avait mordu dans la galette trempée sortie du sac de papier brun. Rien à voir avec les baguettes-frites de Paris. Non, rien de rien. Un *sannewich* de coin de rue façon Limoilou d'une autre époque.

Dans un quadruplex, l'appartement du quatrième étage est ensoleillé, libre de voisin aux talons lourds, mais il est au quatrième étage et condamne donc à une forme de pèlerinage qui tient le cœur à la bonne place et la foi dans les jambes.

Au premier palier, Joseph m'intercepte avec ses sourcils en accents circonflexes, particulièrement circonflexés devant mes atours de pieuvre dégoulinante.

— Tu vas attraper de la mort.

Bonne nouvelle, je ne savais pas que ça s'attrapait à petites doses. Je pense aussitôt au vaccin et à la dangereuse possibilité de survivre à la mort. J'ai des images qui me viennent de dictateurs en train de prêcher la magnificence de leur personne éternellement.

— Pis toi, des vers dans le derrière.

Il se lève promptement et se retient bien de se tâter les fesses ou de jeter un œil sur la marche qu'il réchauffe depuis son retour de l'école. Je le contourne en traçant une demi-lune autour de lui pour ne pas l'accrocher avec mes sacs. Au passage, sa petite main attrape mon gros sac noir et il s'élance jusqu'au quatrième en portant ma cargaison de dissertations, ainsi soumise à son pas énergique de petit camelot habitué aux longues volées de marches. Joseph est un galant naturel. Personne ne lui a appris ça, sinon la solitude qui finit par inoculer, chez les enfants laissés un peu à eux-mêmes, une forme de propension aux autres qui se transforme, dans le meilleur des cas, en dévouement.

Je le soupçonne d'ailleurs d'attendre son père sur le palier, plutôt que dans l'appartement, pour multiplier ses chances de rendre service.

De mon sac, qu'il tient bien droit au cas où il contiendrait des choses précieuses, s'écoule un petit filet grisâtre, d'une mixture sans doute faite de la teinture noire du faux cuir de mon sac d'école et de l'encre de mes copies. Les gouttelettes sur lesquelles j'évite de poser le pied, comme si j'allais pouvoir les récupérer et en extraire le texte, me semblent chargées de milliers de mots heureux d'avoir quitté la lourdeur des pages de travaux.

Au deuxième palier, Trois me refile une petite frousse en se glissant entre mes jambes. Je ne m'habitue pas à cette Chose. S'il vivait à la campagne, Trois serait une bête anonyme, presque normale, fondue dans la masse des estropiés. Mais à la ville, un chat remodelé à la moissonneuse-batteuse – trois pattes avec pas de queue – est forcément une curiosité. Étrangement, l'amour de Joseph pour ce chat qui « vient de la cabane » ne s'embarrasse pas de sa difformité. Il l'aime inconditionnellement, comme s'il était entier, peut-être davantage puisqu'il ne l'est pas.

Au troisième palier, Joseph ralentit, Marguerite est au piano. Des flopées de notes lancées du fond de la pièce se heurtent à la porte, cognent la paroi dans l'ordre où les doigts frappent les touches et recréent le morceau à peine alourdi par l'épaisseur du bois qu'elles traversent pour nous atteindre. C'est d'une beauté lointaine, comme ce qu'on regarde dans la brume. Quand il attend son père, le soir, Joseph vient ici, pour écouter. Je l'ai souvent vu faire. Il s'installe sur la dernière marche, toujours prêt à se lever et à jouer le pressé qui s'est trompé d'étage. Là, il ferme les yeux, il écoute. Une petite statue de sel avec des morceaux de céramique dans les mains. Il n'a pas à s'inquiéter d'être pris, la vieille Margot ne sort plus depuis longtemps. Ses enfants viennent prendre soin d'elle à tour de rôle, en suivant un horaire régulier, aidés par des gens du CLSC. Elle ne reconnaît plus personne. Et moi, je suis lente et bruyante, ce qui lui laisse tout le loisir de décamper avant que je n'atteigne le troisième. Il oublie seulement que je travaille à la maison quelquefois et que je peux, quand je m'y prends bien, le regarder écouter. Philippe, lui, monte trop vite. Durant sa fulgurante ascension, il n'a d'yeux que pour le bout clinquant de ses souliers vernis. Je crois qu'il ne sait pas qui est Joseph.

À voir le petit flanqué de son bout de chat, courbé sous le poids de la musique qui se déverse dans son dos et le fait chavirer, on devine bien que c'est pour ne pas se faire prendre la garde baissée que Joseph se sauve à l'approche des gens.

Tout en haut, c'est le néant. Pas de tapis coloré, pas de couronne de saison sur la porte, pas de couleur, un œil tout petit, minuscule loupe grossissante, à la hauteur des yeux, comme dans les films de science-fiction. C'est chez moi. Une entrée beige qui donne le ton à ce qui se passe derrière. Et dans ma vie.

Joseph me regarde intensément. Je sais qu'il n'attend pas d'argent. J'ai déjà essayé de lui en refiler, mais il n'en a pas voulu. Un service payé n'en est plus un, ça s'appelle un travail et l'argent, un salaire, qu'il m'a dit. Alors je le salue d'un signe de tête, mais il reste là à tenter de s'expliquer ma trempitude.

— C'est parce que j'ai marché.
— Ah oui?
— Oui.
— …

— Mon auto est en panne.

— Où?

— Là-bas.

— T'aurais pu prendre l'autobus.

— Non.

— T'as pas d'argent?

— Non, ça me fait vomir.

C'est l'argument mécanique, le moins vrai. En fait, je ne dors pas assez depuis trop longtemps pour me permettre une telle promiscuité avec le genre humain, pour endurer le contact avec tous les tousseurs, renifleurs, ricaneurs, pousseurs, celluleurs, pueurs, qui sont comme autant d'ongles bien aiguisés déchirant l'ardoise de mes nerfs. La fatigue me dépossède parfois des choses les plus simples.

— Ah!

L'explication lui plaît, il connaît. Il me sourit et repart, la peur du vomi peut-être, ou l'appel du piano.

Il n'a pas de clef au cou, le petit Joseph. Elle est dans sa poche. Et il y a madame Nadeau, la dame du deuxième, qui veille sur lui dans les ourlets de ses journées scolaires, quand son père part trop tôt et revient trop tard.

Je fous dans le bain tout ce qui est mouillé, comme quand j'étais jeune et que je rentrais trempée jusqu'à l'os. Sur les calorifères, qui sont heureusement d'une autre époque, donc larges et imposants, j'étale en les superposant les copies imbibées. L'encre semble avoir tenu le coup, dans la plupart des cas. Avec le temps, j'ai appris à décoder l'illisible, je m'arrangerai. Sur les pages de présentation des travaux, j'entraperçois, défiant outrageusement toute forme d'harmonie, mon nom. C'est fascinant comme deux mots, pas si laids chacun de son côté – «Allô, c'est moi, Josée»; «Madame Gingras? Oui, c'est moi» –, peuvent se décomposer une fois mis en contact: Josée Gingras. Mon nom sort de la bouche comme des mots d'hiver empesés qu'on prononce, le menton paralysé par le froid. Josée Gingras. Je prends soin de mon nom comme d'autres gardent des cadeaux impossibles à jeter. Pour les présentations, je dégaine la main et serre bien fort, en espérant qu'on s'en contentera.

Comme la baguette est à peu près retournée à l'état de pâte et qu'il serait impensable de chercher à identifier les restes de ce que contient le sac, j'envoie valser le tout au fond de la poubelle sans plus me soucier de manger. *Qui dort dîne.* C'est un proverbe qui pourrait m'être salutaire à bien des égards.

Le répondeur clignote, il veut me parler. Je ne l'ai pas souhaité. «Allô, ma grosse!» Ma mère, qui m'aime d'un amour si aveuglant qu'elle n'a pas remarqué que mes formes épousent désormais ce gentil sobriquet qui n'est, du coup, plus amusant du tout. «J'appelle pour prendre des nouvelles. Tu dois être encore à l'école. Moi, je vais bien. Écoute, je vais faire les rideaux de la chambre d'amis cette semaine, j'ai acheté des beaux tissus, pis y va m'en rester beaucoup, des fois que t'aurais envie que je te fasse un petit quelque chose, je pourrais même te recouvrir des vieux coussins avec ça, c'est assez solide. Bon. Si t'essaies de m'appeler demain pis que je réponds pas, c'est parce que je vais débrancher le téléphone de 1 h à 4 h pour mon club de lecture, c'est mon tour de recevoir. Je suis allée chercher des tartes pis des biscuits qui ont vraiment l'air faits maison; une fois dans ma vaisselle, ça paraîtra pas. On fait *Gatsby le Magnifique*, de Scott Fissejerolde cette semaine, que tu dois connaître. C'est Mme Poulin qui a proposé ça, elle aimait le titre. OK. Ben c'est ça, j'espère que tu vas bien, donne-moi des nouvelles quand t'auras une minute. Pis tu te gênes pas pour les rideaux. Bye, ma grosse. Ah! je te garde des desserts, y va sûrement en rester plein. » Ma mère coud frénétiquement pour faire oublier qu'elle ne cuisine pas. Ça marche à moitié. Elle a le vertige devant une recette de rôti de bœuf, mais peut faire des rideaux croisés à cantonnière drapée les yeux fermés. C'est comme si son talent de couturière avait, dans le lobe réservé aux tâches ménagères, écrasé le reste.

Quand je me retourne après avoir effacé le message, mon père est là, concentré sur son journal en train de faire des mots croisés, comme toujours. C'est un homme qui a ses habitudes. Il s'assoit toujours au bout de la table, du côté de la fenêtre, dans la même position prostrée avec son Pilot Hi-Tecpoint V5 Grip bleu à la main. Je ne le vois jamais arriver. Il est là, c'est tout.

— Allô, papa.

— Oh, allô, ma belle.

Son bonheur de me voir est toujours le même, d'une constance douteuse. Ses grands yeux délavés qui s'enfoncent chaque jour un peu plus dans son crâne se lèvent vers moi. Étrangement, ça lui va bien, cette maigreur.

— T'as fait des mots croisés toute la journée?

— Nooon!

— Ah?

— J'ai aussi fait une longue sieste.

— Bon, tant mieux.

— Tu devrais en faire autant.

— Pas besoin, je prends une bonne douche pis je me couche.

— Pour la nuit?

— Idéalement.

— Tu soupes pas?

— Non. T'as faim, toi?

— Ben non, voyons, ma belle.

La fumée de sa cigarette disparait aussitôt passée la frontière de ses lèvres, aspirée dans une autre dimension ou transformée en particules élémentaires, infiniment petites, invisibles à l'œil nu, d'une nature encore inconnue. Pas la moindre trace d'odeur non plus. Le couvercle du coffre à bijoux mexicain qui lui sert de cendrier reste parfaitement propre. Le fond vernis ne s'embrouille même pas. Tous les sortilèges dont il use pour rendre imperceptible son vice me forcent à le tolérer. Je ne sais même pas d'où sortent les cigarettes sans marque qu'il fume à la chaîne.

— Ça me tracasse souvent, ça.

— Quoi, ça?

— La faim.

— T'es belle comme ça, ma grande.

— Non, je parle de toi.

— Pourquoi, de moi?

— J'aimerais ça, savoir de quoi t'es mort.

— Ben voyons, pourquoi tu penses à ça, là?

— C'est peut-être ton cœur qui a lâché?

— Peut-être. On en a souvent parlé, me semble…

— T'es peut-être mort d'une embolie, tes jambes étaient pleines de gros caillots qui montaient?

— C'est possible.

— Tu respirais mal à cause de la tumeur, t'es peut-être mort asphyxié?

— Peut-être.

— C'est épouvantable, mourir de même.

— Tracasse-toi pas avec ça, qu'est-ce que ça changerait? Je suis mort d'un cancer. C'est écrit partout sur mes papiers.

— Non, le cancer fait des affaires au corps qui le font mourir d'autre chose.

— Ben non, moi c'est juste le cancer, la forme pure.

— Des fois, j'ai peur que tu sois mort de faim.

— Ben non, ça, je pense pas.

— Tu voulais plus manger, on n'a jamais insisté.

— Bon, ben y a pas de problème d'abord. Je voulais plus manger, c'est tout. Je serais mort pareil.

— C'est juste que, la veille de ta mort, t'as ouvert grand les yeux à un moment donné pis tu nous as regardés : « Coudonc, y a personne qui me donne à manger ici ? »

— C'était juste une blague.

— Non, c'était vrai, on pensait plus à ça. On pensait juste aux affaires compliquées, aux injections, au protocole...

— J'ai dit ça à cause de la morphine.

— T'es peut-être mort de faim ?

— Ma belle enfant, ma petite Josée, tu dois être ben fatiguée pour me parler encore de ça...

— Oui ! Pis je perds patience. Aujourd'hui, au cégep...

Il m'écoute, je le sens. Le papier de sa cigarette grésille encore une demi-seconde et se tait, avec le dernier écho de ma voix. Il n'en allume pas tout de suite une autre, il arrête un peu de mourir, juste pour moi, le temps que je parle. C'est un fabuleux talent qu'il a de ne pas même faire remuer l'air quand il lit dans ma voix que j'ai quelque chose à dire. Même quand c'est de la dernière insignifiance.

— Ça faisait plusieurs fois qu'il se levait. Je sais pas combien de fois, ni pourquoi. Je pensais qu'il allait aux toilettes. Ça me déconcentrait totalement, je perdais le fil de ce que je disais, pis j'arrivais pas à me retrouver. Y me tombait tellement sur les nerfs, je l'aurais écorché vif. Y s'est encore levé. Quand y est passé à côté de moi, je l'ai arrêté pour lui demander où y s'en allait, encore. Ma main tremblait.

Il continue de faire le mort attentif, ses yeux sont des vitres lumineuses qui m'attendent.

— Y m'a regardée avec un sourire, très calmement, du genre « de quoi je me mêle ». Ça devait s'entendre dans mon ton de voix que j'étais sur le bord de péter au frette. Son cellulaire a vibré, y l'a sorti, l'a levé à la hauteur de ses yeux, juste entre nous deux, comme une claque dans' face, pis y a lu le message… Ça l'a fait rire. Le message, ou moi, je sais pas. Peu importe. J'ai attrapé le cellulaire, je l'ai mis par terre pis je me suis mise à sauter dessus comme une folle. Comme une maudite folle… Je me suis arrêtée quand le cellulaire a été réduit en poudre. Ça faisait même plus crunch quand je pilais dessus.

— Hum. Je vois.

La vis repart, fait à nouveau défiler devant moi la scène. Quarante mains qui cessent de prendre des notes, quarante visages ahuris qui, plus tôt prêts à croire que la littérature élève l'âme et rend meilleur, réalisent en quelques coups de talon que la fréquentation assidue des auteurs peut aussi rendre fou. Pour cette scène d'autohumiliation, ils me gratifient de leur plus sérieuse attention, de la trempe de celle que je n'aurais même jamais souhaitée pour mes cours.

— Je suis allée rencontrer le coordonnateur du département, de façon disons « préventive ». Je suis arrivée avant l'élève.

— Heureusement.

— Faut que j'aille chez le médecin demain, j'ai besoin d'un certificat médical pour me faire remplacer quelques jours.

— Ça va te faire du bien.

— Pas longtemps, juste pour montrer que j'avais quelque chose.

— Et pour te reposer.

— Parce que j'ai peut-être quelque chose.

— Ou rien.

— Ou rien, oui. C'est peut-être ça justement, rien.

— Ou c'est autre chose.

— Papa?

— Hum?

Je prends mon temps, ma question est grave.

— Si je m'en étais pas prise au cellulaire, mettons que l'idée me serait pas venue de sauter sur le cellulaire…

— Mais c'est ça que t'as fait.

— Oui, mais si…

— Non non, on arrête ça là, t'as sauté sur le cellulaire, c'est tout.

— Oui mais…

— L'histoire, c'est ça, on la réécrit pas.

— Non, mais on peut imaginer que, peut-être…

— NON! TERMINÉ! T'as détruit un cellulaire, le concierge est passé, c'est terminé, point.

— Je sais pas pour le concierge.

— Pas grave.

— Va falloir que je lui en rachète un, crisse de cellulaire.

— Prends-le rose avec des brillants.

— Faut juste que je fasse un chèque.

— Bon. Va donc dormir, je vais m'occuper de la cuisine, c'est mon tour.

— Y a rien à faire, papa, j'ai même pas bu un verre d'eau.

— Je l'ai dit avant, c'est quand même mon soir, bleu blanc rouge chapeau pied encre de Chine!

La mort lui a donné, en plus d'une très grande disponibilité, une touche de fantaisie puérile que je ne lui connaissais pas. Qu'il n'avait pas, j'imagine.

Je n'arrive jamais à voir si les cicatrices de sa main droite se sont effacées, elles, avec sa résurrection, elle est toujours posée à plat sur la table pour tenir le journal. Au fond, si Jésus n'a pas perdu son trou au côté droit en ressuscitant, je ne vois pas pourquoi ce serait différent pour lui.

Je mangeais des hot-dogs au stade municipal assise à côté de mon père qui regardait le baseball quand mon petit visage tout mignon s'était retrouvé sur la trajectoire d'une fausse balle solidement frappée. En une nano-seconde, la main de mon père s'est ouverte et refermée sur l'obus, reculant de quelques centimètres sous la force de l'impact. J'ai à peine saigné du nez, c'est la main qui a tout pris. Plusieurs petits os se sont brisés. On a même été forcé d'opérer pour soutenir le métacarpien du pouce avec une tige de métal. Les coups de règle répétés des frères pendant toute une enfance n'avaient pas été aussi convain-cants que cette seule balle : mon père a été contraint, à partir de ce moment, de renoncer à sa main gauche pour écrire. De là son excessive lenteur et sa grande application à former les lettres pour qu'elles se tiennent à carreau dans les cases étriquées des grilles de mots croisés. Quand le chirurgien, voyant les dégâts, lui a dit qu'il m'avait pro-bablement sauvé la vie, il s'est permis de croire que cette main gauche bien entraînée, soumise depuis toujours à des épreuves de force et de finesse, n'avait résisté aux volontés d'en changer la vocation que pour mieux se préparer à son destin : attraper cette balle et me sauver. Mais nous savions tous qu'il m'assoyait toujours du côté de sa main habile pour pouvoir gérer facilement les dégâts, alors que mon frère, plus sage et plus adroit, s'installait invariablement de l'autre côté.

Il me vient à l'idée qu'il n'a plus écouté le baseball depuis qu'il est ici. Faudrait que je lui trouve un petit transistor comme celui qu'il gardait sur la table de la cuisine. Pour l'instant, mon radio-réveil fera l'affaire. Je vais dans ma chambre, débranche l'appareil qui ne m'a jamais servi qu'à connaître l'heure et à repérer mon côté de lit dans le noir, et l'installe sur la table, pour qu'il puisse le contrôler sans se lever.

— Pourquoi tu le gardes pas dans ta chambre?

— Pus besoin. Faut que je m'achète une nouvelle montre, je vais prendre un modèle Indiglo avec alarme. Veux-tu écouter le baseball?

— Ah? Y a un match aujourd'hui?

— Ben oui.

— Ah oui? Qui joue?

— Eee… les Expos.

— Les Expos?

— Ben oui.

— Quels Expos?

— Ben… Gary Carter, pis toute la gang, là.

— Le Kid?

— Ben oui!

— Excellent!

Mon père est bon joueur. Il a toujours aimé les anachronismes.

— À quelle heure?

— Maintenant.

— Tabarouette! Ça tombe bien!

Il me fait un clin d'œil et soupire de bonheur, comme s'il venait de mettre le pied dans le sable.

— Finalement, je pense que je vais descendre chez Corona, prendrais-tu un sandwich, quèque chose?

— T'es ben fine, ma belle, mais j'ai pas faim.

— OK. Je vais ramener un club, on pourra partager si la faim te vient?

— Bonne idée, c'est parfait. Je te raconterai le début du match.

Ce qui est fascinant avec Corona, c'est qu'elle a beau traîner ses pénates dans cette pataterie depuis quarante ans, elle n'a jamais réussi à développer un système de prise de commandes efficace. Sur son petit carnet blanc qu'elle glisse dans la poche de son tablier avec sa main pleine de cloques de friture crevées cicatrisées, elle écrit « club sannewich », si vous lui commandez un club sandwich. Si vous souhaitez un sandwich au pain blanc grillé contenant de la laitue, des tomates, du bacon, du fromage et beaucoup de mayonnaise, elle écrit, en plus petit pour tout faire entrer : « sannewich blan tosté laitue tomate bacon fromage + boucoup de mayonaise ». Quelque chose à boire ? Elle ne vous tendra la cannette qu'après avoir écrit « Pepsi diet » sur un feuillet, un autre. Je lui ai déjà demandé pourquoi elle ne fonctionnait pas avec un code plus simple qui lui ferait gagner du temps, comme écrire « club » au lieu de « club sannewich ». Elle m'a regardée sans sourire, avec son habituel visage inexpressif plein d'une bonté inexprimable : « J'vas toute me mêler, j'aime mieux toute écrire comme y faut. Pis juste "club" ça veut rien dire, ça pourrait être du club soda. » On ne doit pas être pressé pour aller chez Corona, c'est bien connu, mais il n'y a jamais d'erreur de commande. On accepte chez elle ce qui nous exaspère tant ailleurs ; attendre ici relève du rituel sacré. C'est une forme incongrue de microréussite commerciale impossible à transformer en bannière internationale. Corona ne vend pas de club soda.

La première chose que j'entends quand j'entre dans l'appartement, c'est le silence habité du champ de baseball, la discrétion des commentateurs qui se permettent quelques statistiques en murmurant, comme pour ne pas troubler l'air et faire dévier les balles. Les moments d'action sont rares au baseball, il faut bien doser les interventions pour trouver encore, après quelques heures de jeu, des choses pertinentes à dire. J'adore cette lenteur, ces longues secondes de grande friture entre deux phrases. Pour les êtres humains rompus à la course effrénée du quotidien, le combo Corona-baseball est une expérience assez déroutante.

Dans le petit carnet qui dort sur ma table de chevet, je note, comme chaque soir, l'heure de la mise au lit: 20 h 07. Je sens déjà les bienfaits que m'apporte la certitude d'avoir pris cette fois une sérieuse avance sur mes démons. Mais rien n'est gagné, je le sais bien. J'aurais besoin de six heures de sommeil. Idéalement huit, mais je ne peux pas me décourager avec un objectif inatteignable, je me sentirais battue d'avance. Alors j'écris six heures. Si je pouvais faire trois coups de deux heures, je retrouverais à peu près mes esprits. Je me laisse une petite note encourageante, « Vas-y championne, y est de bonne heure », et je plonge, l'angoisse au cœur, lourde de tous mes riens qui me plombent la tête.

Je n'ai aucun problème à entrer dans le sommeil, au contraire, j'ai des lectures sur mesure pour ça. Le problème, c'est de rester endormie. Alors j'attrape *L'Île du jour d'avant*, d'Umberto Eco, l'un de mes livres de nuit de prédilection – j'ai mis six mois à atteindre la page 51 – et j'essaie, comme chaque jour, de me rappeler de quoi il est question dans ce roman. Pourtant, la fin du chapitre n'est pas loin, au prochain tournant de page, je le sais parce j'ai triché pour m'encourager, mais je ne l'atteindrai pas, la petite peau repliée sur mes yeux se déploie inexorablement, contre ma volonté. C'est l'un des grands paradoxes de ma vie : tant vouloir, au même moment, veiller et dormir.

C'est d'abord la faim qui me réveille à 22 h 28. Eco est dans un piètre état, l'intérieur origamisé. Après six mois d'un tel traitement, il est surprenant que les pages trouvent encore à former de nouveaux plis. J'apporte mon carnet à la cuisine et je note, avec un bonheur mal dissimulé dans la ponctuation : environ 2 h 16 ! – j'ai perdu cinq minutes avec Eco. Pendant que j'avale des tranches de pain beurrées, assise sur une autre chaise que celle que pourrait occuper mon père, je note les quelques bribes de mon dernier rêve qui rappliquent : la Terre est envahie par une armée extraterrestre et, comme j'appartiens à la résistance, je dois découper en morceaux des extraterrestres attrapés je ne sais trop comment pour les placer à l'intérieur du plancher des véhicules lourds, comme les autobus, pour échapper à la surveillance des brigades ennemies. Le plan de mon unité, très simple, consiste à faire subtilement disparaître les extraterrestres, un à un, en douce. Pas de pitié, ils n'avaient qu'à nous éliminer, c'est la toute première règle des envahisseurs. Tant que les véhicules sont en mouvement, l'ennemi ne peut pas voir ce qu'ils contiennent puisque les détecteurs d'infrarouges placés aux quatre coins de la ville confondent la chaleur des moteurs et celle des corps. Que le long historique des guerres qu'ont menées les Hommes depuis toujours fasse la preuve de l'inefficacité de l'affaire ne m'empêche pas d'agir avec conviction ; que la toute prochaine saturation des planchers de véhicules lourds menace la bonne marche de notre extraterrestricide ne modère pas mon enthousiasme. J'entre ensuite dans l'autobus pour constater que la présence de mes frères humains ne m'importune pas, qu'elle me rassure même. Que je l'ai même souhaité. Je me sens bien.

J'ai des rêves moins beiges que ma vie.

Je ferme le cahier comme d'autres se couchent. Alourdie mais sereine, l'esprit disposé à massacrer des légions de cyclopes gélatineux, je retourne au lit. En deux petites heures et quart, j'ai à peu près retrouvé mon calme. Je n'ouvre pas Eco, en regarder la couverture me suffit. Sur l'image, dans le ciel de nuit au-dessus de la mer, flottent toutes sortes d'animaux mythologiques sertis d'étoiles. Le typhon du sommeil s'approche doucement et m'aspire l'intérieur de tête, laissant choir mon corps comme un ballon dégonflé.

Philippe coupe court à mes projets d'invasion intergalactique une demi-heure plus tard. Je note alors vingt-neuf minutes au cahier. C'est un peu difficile à avouer, mais je l'avais complètement oublié. Le hockey, une rencontre de collègues, je ne me rappelle plus, si tant est que je l'ai déjà su. Il fait le tour des pièces, bouge les meubles, brasse de la vaisselle, fait le grand ménage de sa gorge, de ses dents et finit par venir s'allonger à côté de sa belle grosse blonde qu'il croit endormie et presque saine d'esprit.

Il est déjà loin quand sa tête frappe l'oreiller. Je compte tout de même dix minutes, jusqu'à ce qu'il soit bien englué dans son sommeil, avant de me lever. Dix précieuses minutes envolées. Pas de chambre d'amis où me réfugier. Dans le salon, un sofa de cuir froid aux accoudoirs taillés à angle droit est posé sur un plancher de bois de merisier blanchi. C'est si froid, si droit que l'idée d'aller m'y allonger me fait grimacer. Je m'étendrais plus volontiers dans le bain. Contrairement à ce qu'on pourrait croire, nous n'avons jamais eu, Philippe et moi, de discussion sur la question des meubles de notre condo. Dans les magasins, je me dirigeais systématiquement vers les bergères et les divans capitonnés en velours pourpre, bourgogne, rouge pompier, et lui, vers les divans aux formes épurées, très pâles, faits de matériaux frigorifiques. Dans mon décor, il aurait étouffé ; dans le sien, je gèle. Comme il n'existe pas de juste milieu entre la bergère Louis XIV et la causeuse zen, nous avons décidé que celui qui achèterait choisirait, point. Car celui qui achèterait garderait, point. Nous sommes un couple moderne, l'illusion de l'union éternelle ne nous a jamais bercés. Alors ces gros blocs de glace sont venus s'échouer dans notre salon. Son salon.

Ce qu'il me faut surtout, maintenant, tout de suite, c'est un lit à moi, juste à moi, dans une vraie chambre, et même que ce soit une impolitesse d'y entrer. Je changerais volontiers de rôle avec la reine d'Angleterre pour qu'on m'enferme dans des appartements surprotégés parfaitement insonorisés. Et j'ordonnerais qu'on tranche la tête à tous ceux qui menaceraient mon sommeil.

Il n'est pas 11 h 11, je n'ai pas vu d'étoile filante ni jeté de petits sous dans l'eau, mais je ferme quand même les yeux et fais un vœu. Philippe ne disparaît pas, il reste là. Je n'ai rien contre lui, mais il est dans mon lit. Son corps se soulève très légèrement, obéit aux entrées et sorties de l'air, comme si je n'avais rien souhaité. Il a une résistance à l'inexistence qui impose le respect.

Philippe sent bon, même la nuit, même après les sports, les violents comme les plus doux. Le métabolisme de son corps se fait dans une harmonie olfactive surnaturelle, son haleine ne souffre jamais de ce qui se passe dans son estomac. Quand je ne me rappelle plus très bien ce qui m'a un jour poussée à choisir cet homme, je me colle à sa peau et respire bien fort. Ça me revient. Ma condition animale s'impose plus fortement certains jours.

22 h 57. Ma vessie m'arrache au sommeil pour trois gouttes, la salope. Elle est de mèche avec la vis qui en a profité pour se remettre en mouvement. Je suis coincée, la tête dans l'engrenage : les pensées affluent, tournoient, se tordent et replongent pour mieux revenir dans une forme paranoïde ; elles suivent un mouvement hélicoïdal sans fin, jusqu'à ce que ma tête s'épuise. C'est un long processus.

J'entends les élèves, mon cœur sur mes tempes, les murmures qui accompagnent mon départ, maudite folle, j'imagine mes chairs molles ballottées par la violence de mes coups de talon, c'est une folle qu'ils se disent, une maudite folle, elle a des cernes sous les bras en plus, dans le feu de l'action j'ai sûrement levé mes bras plus que je ne peux me le permettre, je sais quand je m'énerve je lève les bras, ils me jettent des regards désemparés, Corinne surtout, cette élève si brillante, toujours assise devant, je revois ses yeux, mon Dieu la déception, comme celle dans les yeux de mon prof de philo, vingt ans plus tôt, quand il s'est rendu compte que je n'avais pas fait le texte pour le concours, je devais le faire, je ne l'ai pas fait, je vois encore le dessus de sa tête clairsemée, la confiance tombée avec sa tête, moi je saute sur le cellulaire, je déçois souvent, et je pense à YouTube, des images peut-être, partout dans le monde, de moi qui saute sur le cellulaire, avec mes cernes et mes chairs, si Philippe voit ça, déjà que Philippe, où il était Philippe d'ailleurs, je crois que Philippe ne m'aime pas, ne m'aime plus, peut-être qu'il se dit ma blonde est grosse, peut-être pas, peut-être que ses amis lui disent ta blonde est grosse, la porte se ferme sur les sanglots, sur Lise, elle parle de son beau-frère dans la construction je ferme la porte même si Lise est gentille je ne l'écoute pas je m'en veux j'ai peur des fois c'est comme avec ma mère moi je détesterais m'avoir comme enfant je vais aller voir Lise demain si je lui dis pour le cellulaire elle va me dire je comprends il faut que je pense à porter du noir en classe toujours du noir à ne pas lever les bras la sueur c'est dégoûtant peut-être appeler ma mère c'est terrible je dors à côté de mon père que je dois veiller il souffre il me regarde je dors je suis épuisée à quoi il pense en mourant est-ce qu'il me voit le regarder mourir je saute sur le cellulaire et je dors à côté de lui…

Pour l'avoir tant lu ici et là, je sais qu'il faut associer les périodes d'éveil à des choses ennuyantes, qu'on déteste même. Je regarde les copies en train de sécher sur le calorifère, ça devra attendre. Dommage, la fabuleuse concentration que me demande la correction atténue quelquefois les échos de la vis jusqu'à en rendre les voix supportables. Quelquefois. Il est trop tard pour faire du ménage. Je viens de finir mon rapport d'impôt. Je n'ai aucun compte en souffrance. Aucun être vivant ne requiert ici mes soins. Pas d'amis facebook. Pas de facebook. Alors je me prépare une petite collation de brocoli sans trempette pour ne rien perdre de son goût fortifiant et je me lance dans le repassage de chemises avec un fer débranché, histoire de me convaincre, par l'ennui et le découragement, de retourner au lit, dormir.

Mais l'ennui nourrit la vis.

Georges ne m'a pas saluée tout à l'heure il ne me salue jamais il passe les sourcils un peu froncés je crois qu'il me trouve conne à la dernière réunion j'ai pas pu m'empêcher de dire mais c'est sorti tout croche je sais qu'il s'est dit ben voyons je l'ai vu soupirer il passe en m'ignorant mais il en salue d'autres il me trouve insignifiante il connait tant de choses il publie moi je laisse plein de coquilles dans mes documents la porte se referme l'élève crie madame s'il vous plaît mais je suis déconcentrée sur ma robe pâle le vin rouge fait une grosse tache sur le tissu je ne voulais pas y aller à ce mariage je déteste les mariages je suis là au milieu de la salle avec ma grosse tache et je ne peux plus bouger ni aller danser alors je fais semblant de m'emmerder pour pouvoir rester assise mes élèves me regardent je suis en sueur je saute sur le cellulaire mais je ne danse pas ma robe est tachée sur YouTube je saute et tous les collègues ont pitié je fais pitié ça se soigne si j'étais vraiment fatiguée je dormirais mais je suis fatiguée ben voyons t'as pas d'enfant fais du sport la clinique du sommeil tu fais rien finalement les élèves me regardent ils sont déçus une folle mon père me regarde je dors je crois que je me suis endormie je ne peux pas lui donner sa morphine je dors...

Je dois attendre, la laisser suivre son mouvement, malaxer les souvenirs désagréables jusqu'à en faire une bouillie informe. C'est chaque nuit une condamnation sans appel contre laquelle je ne me bats plus. Je ne peux souvent même pas lire, ma tête dérive à toutes les deux phrases et je suis forcée de reprendre sans cesse le même passage. Quand la vis tourne, je suis analphabète, les mots mis ensemble ne font pas sens, ne disent rien. Je m'abandonne au typhon de mon cerveau qui dérape.

Je retourne au lit, histoire de laisser libre cours à la vis et de me ménager un endroit confortable pour choir de ma belle mort cérébrale quand elle en aura fini.

— T'as-tu fini de bouger? Tu peux pas juste essayer de te coucher pis de dormir, comme tout le monde?

— Je fais juste ça, essayer. T'as aucune idée à quel point j'essaie.

— Concentre-toi sur ta respiration, essaie de la ralentir le plus possible. Pense à rien. Pis dors. Me semble que c'est pas compliqué!

— Non, c'est tellement pas compliqué, en fait, que c'est exactement ce que je fais. Mais ça me donne des fourmis d'essayer de pas bouger.

— Ben essaye pas de pas bouger, fait juste pas penser à ça. Pense à rien. Couche-toi pis remets ça à demain.

— On est demain.

— Fuck! Fais juste dormir. Regarde, moi je me couche, je ferme les yeux, je ralentis ma respiration, pis je dors. C'est tout. Je pense à rien. Je me dis : « Voilà, je me couche, pis je dors. » Pis ça marche. Je dors. Regarde!

— Voilà?

— Ben oui, voilà.

— Dans ta tête, tu dis « Voilà, je me couche »?

— Arrête de penser, couche-toi, bouge pas, respire pas fort, pis DORS! CRISSE!

C'est tellement simple. En attendant d'y arriver, je retourne faire semblant de repasser des vieilles chemises qui ne servent plus, jaunies de sueur rance sous les bras. Les autres, celles que ni lui ni moi ne saurions repasser, Philippe les confie à des mains professionnelles.

Et la vis s'emballe à nouveau, carotte sans trêve mes souvenirs jusqu'à en faire des passoires méconnaissables.

À 5 h 12 du matin, le camion dépose le ballot de journaux devant l'immeuble. Le livreur, toujours le même, arrête à peine la camionnette. D'un seul geste qui tord son corps dans tous les sens, il ouvre la portière coulissante, tire sur le frein à main, sort du véhicule, attrape l'un des paquets bien ficelés, le bon, fait quelques pas dansants et y va d'un lancer précisément exécuté ; les journaux atterrissent invariablement sur la même portion de la dalle de béton qui, à force d'être ainsi martelée, menace de se transformer en un amas de cailloux. Peu importe la saison, le livreur ne porte qu'un chandail bourgogne à capuchon et un jeans trop grand étrangement cousu dans l'entrejambe.

Il me fait penser à ce gars rencontré sur le traversier qui relie les tronçons de la route 138 entre Baie-Sainte-Catherine et Tadoussac et qui faisait tous les jours l'aller-retour Québec-Forestville en laissant sur son chemin des petits tas de journaux dans tous les villages qu'il croisait. Une vie entière passée dans l'auto pour livrer des nouvelles qui s'éventaient au fur et à mesure qu'il avançait ; les jours de beau temps, ceux du bout de la *run* recevaient les nouvelles à la fin de la journée, quand les bulletins télévisés avaient fini d'en révéler les grandes lignes. Pour jouer ainsi chaque jour les Sisyphe de la route du Nord, il n'avait besoin que d'une chose : un bouillon de poulet bien chaud de la distributrice du traversier. Soixante sous. Je me tenais devant la machine, transie, grelottante, les lèvres, le contour des yeux et le cœur bleus. « Prends le bouillon de poulet, c'est le plus chaud. » Ça tombait bien : à ce moment-là, j'avais besoin d'une direction franche à prendre dans ma vie.

Je demeure devant la fenêtre, le regard plongé dans le fjord sans fond. La scène du bateau tourne en boucle jusqu'à l'arrivée de Joseph. Il cueille les journaux au point d'atterrissage, s'installe sur le perron pour échapper à la pluie. Accroupi dans la position des chauffeurs de rickshaw en attente de clients, il roule les journaux, les fige à l'aide d'un gros élastique bleu à homard et les corde soigneusement dans son chariot à roulettes blanc. Il aurait préféré qu'il soit de couleur argent, son chariot, pour faire plus sérieux, moins mémé-s'en-va-à-l'épicerie. D'ailleurs, il est en fer, c'est un souhait légitime. Mais il est blanc, c'est comme ça. Les roues sont solides, c'est ce qui compte.

Marco, le père de Joseph, sort comme le petit allait partir. L'une de ses grosses mains calleuses tient fermement la poignée de sa boîte à lunch métallique scintillante et l'autre se tend vers celle de Joseph pour singer un code compliqué de doigts et poings croisés, frappés, effleurés, impossible à reproduire. Ils ne se disent rien, les mains parlent. Marco s'en va céramiquer sur un chantier quelconque et Joseph, le dernier enfant camelot de la Terre, comme le dernier allumeur de réverbère il y a longtemps, s'en va en tirant son chariot trop blanc jeter un peu de lumière aux portes des abonnés-papier de moins en moins nombreux.

La joue collée à la vitre, j'arrive à le suivre jusqu'au coin de la rue. Une petite tache sort de l'ombre en sautillant maladroitement et les prend en chasse, lui et son gréement de travailleur de matin noir. Trois est un chat fidèle. Ça me plairait d'aimer les chats.

Le cow-boy d'en face sort au même moment pour aller travailler. Il marche les jambes écartées pour ménager ses éperons imaginaires, jette des regards de gars traqué des deux côtés de la rue en bougeant ses doigts prêts à dégainer, la face à moitié cachée par un chapeau à larges bords. Je n'ai aucune idée de ce qu'il fait dans la vie, ça ne se laisse pas deviner comme ça. Il part chaque matin sans boîte à lunch, ce qui ne m'avance pas beaucoup : il pourrait manœuvrer une grue géante sur un chantier et dîner au restaurant, conduire des autobus, trier du courrier à Postes Canada, réparer des ordinateurs, des gens, des machines, pétrir les premières fournées du matin dans une boulangerie bio. Le plus troublant, c'est qu'il s'appelle Jim, comme dans la phrase-mantra de mon frère : « En route, Jim, nos chevaux sont plus rapides que ceux des Indiens », probablement tirée d'un vieux western. Je ne suis jamais sortie de la maison de mes parents en compagnie de mon frère sans l'entendre, cantonnée depuis toujours, au moment de franchir une porte, dans ce rôle de Jim-sans-réplique qui ne fait que suivre. Encore aujourd'hui, chaque fois que je quitte un lieu, mon subconscient me susurre à l'oreille : « En route, Jim, nos chevaux… » Il y avait si long-temps que j'incarnais ce personnage quand le cow-boy est débarqué en face, que j'ai d'abord cherché à me voir en le regardant, comme si nous pouvions former une seule et même personne.

J'aperçois Bonne Fête des Morts juste comme je m'en retournais à ma non-nuit. Bonne Fête, comme on l'appelle ici, est une espèce de géant aux allures de tueur qui marche avec conviction, comme si on l'attendait quelque part. Pour une raison qui échappe à tout le monde, à commencer par les spécialistes de la santé mentale qui ont été forcés de le désinstitutionnaliser, il hurle « Bonne fête des Morts ! » à intervalles réguliers, réglé comme un métronome. Ça impressionne les passants qui se sentent souvent agressés par ce qui n'est en fait qu'un simple souhait ; on a fini par lui faire comprendre qu'il s'attirerait moins d'ennuis en se bala-dant le matin très tôt ou le soir très tard, quand les trottoirs sont déserts. Alors il se promène d'un pas allègre, avec sa tête de Gauvreau des mauvais jours, dans cette petite fenêtre de temps où la chape de la nuit semble légitimer la bizarre-rie et la folie. Quand Joseph croise Bonne Fête, il prend la grosse voix qu'il aura peut-être un jour et lui répond :

— TOÉ 'SI !

Et chaque fois, comme ce matin, Bonne Fête des Morts sourit sans ralentir, sans même relever la tête, le visage plein de dents pas belles.

De l'autre côté de la rue, j'aperçois mon père qui sou-rit, lui aussi, heureux d'être si souvent fêté. Je lui fais signe de venir me rejoindre pour le déjeuner.

Mon chum, employé de bureau et grand psychologue à ses heures, ne se lèvera pas tout de suite. Ça me laisse le temps de me faire un bouillon de poulet bien chaud. Et trop salé, comme je les aime.

Sur la table de cuisine, je pose ma tête à côté du cahier que je n'ouvrirai pas pour faire les comptes de la nuit. Il n'y a rien à compter. Les quelques minutes de sommeil que je m'apprête à gagner dans l'inconfort de la position assise-pliée n'y changeront rien. Ce sera une dure journée. Pour tout le monde.

La vis s'est arrêtée, mon être est entièrement vidé. Je suis légère, en paix.

J'entraperçois, entre deux battements de paupières, des tas de feuilles ondulées comme des chips, un salon beige sans plantes, un père mort qui essaie de me faire croire qu'il s'en va aux toilettes, un cahier, une tasse encore pleine de bouillon de poulet tiède...

2

En quatre heures de travail acharné pour tenir le fort de ma bulle, j'ai pu compulser toutes les revues de mode, de santé et bien-être, de cuisine, de chars, de cheveux disponibles à la clinique. Mon esprit synthétique, habitué à bâtir des schémas conviviaux permettant une intégration efficace des connaissances dans le développement des compétences générales et transversales d'apprenants aux intelligences multiples, s'est aussitôt mis en branle pour catégoriser et schématiser les informations les plus récurrentes et les traduire clairement, simplement, sans fioriture ou autre effet de style pour permettre une ingestion plus efficace des informations somme toute fort simples. Sur un bout de papier qui traîne au fond de mon sac à main, je rédige ainsi mon résumé de l'ensemble de tout ce que je viens de lire:

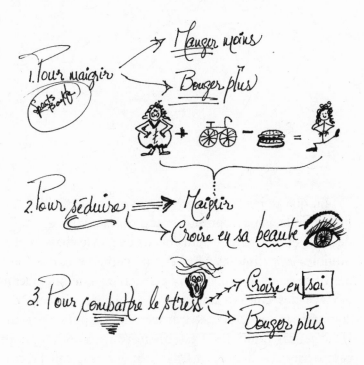

On m'appelle. Je suis émue, je n'y croyais plus. J'attends depuis si longtemps que je sens, au moment de franchir la porte du bureau, que j'ai attrapé une maladie que je n'avais pas en me pointant ici.

— Qu'est-ce qui vous amène, ma petite madame?

Je ne suis ni petite ni madame. Lui, par contre, est médecin. C'est tout ce qui compte. Le mien est mort il y a longtemps. Et même si je n'y suis pour rien, personne n'a encore accepté de le remplacer dans ma vie. Pour l'heure, j'ai un urgent besoin de me faire déclarer inapte pour quelques jours à faire la seule chose que je sache faire dans la vie.

— Je sais qu'y a d'autres types de médecines qui pourraient m'aider, mais j'aime mieux la médecine ordinaire... ordinaire dans le sens de science... de vraie science.

— Hum hum.

— C'est que j'ai des problèmes de sommeil. C'est l'enfer, faut que je fasse quelque chose.

— Hum hum.

— Je m'endors facilement, j'ai des livres pour ça, c'est correct. C'est pas ça, le problème.

— Hum.

— Non, c'est après, quand je me lève pour aller aux toilettes, par exemple, d'ailleurs on dirait que j'ai toujours envie...

— Buvez moins avant d'aller au lit, madame.

— Non, non, je bois pas, justement, je fais bien attention. J'attends même d'avoir soif avant de me coucher pour être certaine de pas avoir assez bu.

— Vous avez peut-être un problème de vessie hyperactive.

— Non, j'ai pas vraiment envie, c'est comme une compulsion, je vais aux toilettes parce que j'ai peur que ça me réveille, mais j'ai pas vraiment envie. Pis je me réveille pour plein d'autres choses, des cauchemars, des peurs que je me fais avec des riens...

— C'est mental d'abord.

C'est moins douloureux quand c'est moi qui le dis.

— Eeee... oui, en fait c'est comme si mon cerveau s'emballait, je me mets à réfléchir, à repasser toutes les pochitudes de ma vie, à penser à tout ce que je suis pas, à tout ce que je pourrai jamais être, à tous ceux qui m'aiment pas, ben encore là, à ceux qui m'aiment peut-être pas...

— Faut arrêter de penser, madame.

— Merci, j'en prends bonne note, mais j'ai l'impression que mon cerveau produit une forme d'électricité, comme des courts-circuits, en tout cas, je me demandais si on pouvait pas trouver ce qui va pas, vu que c'est peut-être chimique, ou hormonal. On peut peut-être faire des prises de sang, des radiographies de ma tête, quelque chose. En attendant, j'aurais besoin…

— Je vous prescris des somnifères, quelque chose de fort, mais qui vous gâchera pas vos journées.

— Non, j'aimerais mieux pas prendre des choses comme ça, j'ai déjà essayé, le sevrage est trop dur après, je me tape des transes hallucinatoires complètement débiles, je passe mes journées à moitié légume, déjà que j'ai des problèmes de mémoire à court terme depuis quelques années…

— C'est la fatigue…

— … oui, justement, je voudrais dormir, mais j'aimerais trouver ce qui va pas ou en tout cas quelque chose de plus naturel pour m'aider…

— De la tisane.

— De la tisane.

— Oui, une bonne tisane bien chaude avant d'aller vous coucher, c'est étonnant comme ça peut être efficace.

— …

— Ma femme avait des problèmes de sommeil elle aussi, y a longtemps, après les enfants et tout ça. Elle s'est mise à prendre de la tisane après avoir consulté un naturopathe. Depuis ce moment-là, fini! Elle dort comme une bûche.

— Ah oui?

— Oui oui.

— OK. À quoi, la tisane, pour se transformer en bûche?

— Bof! Camomille, tiens.

— Une tisane à la camomille tiens? Eh ben…

Je peine à me lever de la chaise, le poids de la condition humaine vient de s'abattre sur moi d'un coup. Le médecin, dont je ne vois plus que le dessus de la tête, barbouille énergiquement dans mon dossier qui ne contient qu'une feuille, la première, une page presque blanche. Les médecins sont des écrivains de maux quotidiens. Et comme ils mènent de front le récit de centaines, voire de milliers d'histoires à la fois, on peut comprendre leur propension aux finales simples. Tisane. Comment lui reprocher de ne pas s'émouvoir de mon manque de sommeil et de mes pétages de plomb s'il lit chaque jour les premiers symptômes de la mort chez d'autres ?

— Mais je vais avoir envie si je bois de la tisane.

— Ça se dompte, une vessie.

À côté de la boîte de mouchoirs fleurie, sûrement achetée par sa femme herboriste, traîne un carnet de prescriptions. Je voudrais lui voler un feuillet, un seul, sur lequel j'écrirais quelque chose de très plausible, des mots aujourd'hui usés, «surmenage», «fatigue chronique», «épuisement», qu'on croirait d'emblée puisqu'ils s'accordent parfaitement avec les comportements destructeurs d'un être considéré d'ordinaire en plein contrôle de ses moyens. On pourra sans problème vérifier que je suis venue, puisque je suis là. Mais le dossier est fermé et les yeux de l'inspecteur Columbo sont posés sur la petite madame qui ne sort pas du bureau. Pas de diversion possible.

— Pourriez-vous me la prescrire ?

— Prescrire quoi ?

— La tisane.

— Pas besoin de prescription pour ça, ma petite madame. Vous vous servez dans n'importe quelle épicerie, pharmacie, Dollarama.

— C'est pour les assurances.

— Je ne pense pas que ce soit recevable pour les assurances. Et puis ça coûte vraiment pas cher.

— Ah…

— Ça va?

— (Non, pas vraiment. Je traîne tous les jours ma carcasse de jeune vieille à moitié disjonctée qui dort pas, je m'enfonce doucement dans une folie qui est en train de m'amener je sais pas où, à tuer des gens peut-être, tiens! c'est pour ça que je suis ici, pis là vous me trouvez le grand remède, la solution finale *made in China* du Dollarama, DE LA TISANE, CALVAIRE…) Oui, ça va.

Et je sors. Je sors comme ça, sans papier, sans détruire quoi que ce soit, sans tuer personne, les gencives nappées de bile. Et je marche pendant un moment, jusqu'à l'engourdissement, allant et revenant dans les mêmes rues, comme un ours en cage. Pourtant, à force d'aller nulle part, dans le brouillard de ma rage se profile une certitude qui me fait sourire: cet homme est un bon médecin, il m'a proposé de la tisane comme on dit à quelqu'un de se botter le cul. Tiens, dans le derrière, juste pour toi, ma petite madame.

Je croise une librairie. Dans la vitrine, garnie de tasses, de brochettes de jujubes et de râpes à fromage en forme de baobab, on affiche le palmarès des meilleures ventes de livres. Pris en sandwich entre les derniers livres de cuisine, de psycho-pop, d'exercices et de petits guides de la pensée magique, on retrouve la dernière nouveauté québécoise et deux ou trois suspenses en traduction. Un collègue me racontait qu'on a dû récemment créer un nouveau classement en bibliothèque pour les livres désormais écrits par des esprits. Les signataires humains de ces livres ne sont que des vecteurs, des canaux de transmission utilisés par les esprits pour se faire lire sur Terre, et les livres eux-mêmes, les supports physiques d'une pensée qui doit tout de même passer par les réseaux traditionnels de production et de diffusion du livre; pas le choix, quand les esprits tentent de communiquer directement avec les hommes, on ne les prend jamais au sérieux. Dans le tas de ce qu'on présente ici, dans cette vitrine en apparence tout humaine, je ne saurais les reconnaître. Il y a bien un nom qui me semble suspect, Izbima, mais comment savoir, c'est peut-être l'autobiographie d'une célèbre chanteuse de seize ans que je ne connais pas – *Le secret d'une vie réussie: rester ordinaire*. À l'aube du troisième millénaire, alors que les avancées de la science sont telles que mourir devient de plus en plus difficile, les gens achètent à la tonne des livres écrits par des esprits pour se guérir l'âme. Ça me donne le vertige, comme quand je pense à la place qu'occupe la Terre dans la galaxie, elle-même infime partie d'un système plus grand encore, lui-même portrait craché d'à peu près n'importe quelle molécule. Au fond, avec son Soleil brûlant et ses étoiles qui meurent, le système solaire n'est peut-être qu'un des constituants d'une cellule cancéreuse d'un grand organisme malade. La mise en abyme se déploie dans ma tête en une vertigineuse spirale. L'homme se pense si grand, si important qu'il arrive à croire – et surtout à faire croire – que des entités supraterrestres ont besoin de lui pour faire passer au compte-gouttes des vérités miracles qui ne sauvent personne, heureusement; les solutions miracles sont comme les machines à laver qui durent quarante ans, elles ne sont pas bonnes pour les affaires. J'entre dans la librairie, attrape la dernière nouveauté québécoise que je paie en grappillant tous les petits et les gros sous de mon portefeuille.

Une fois dans la rue, je ne trouve plus ma voiture. Je regarde mes clefs pour que ressurgisse, à force de contemplation, un indice quelconque, n'importe quoi. J'essaie de ranimer l'image d'un lampadaire, d'une borne-fontaine évitée, d'un parcomètre, d'une enseigne. Rien. Même pas le souvenir d'être retournée la chercher rue Champfleury après la capitulation de la veille. Ce qui ne veut rien dire. Je reste calme. Ça ira, ça reviendra. Je me mets en marche dans l'espoir que «ça» me tombe dessus.

Une heure plus tard, après avoir arpenté toutes les possibilités de stationnements dans un rayon d'un kilomètre autour de la clinique, je laisse tomber. Je me console en prenant une résolution: ma prochaine voiture sera jaune serin et je mettrai, comme mon frère, qui imitait mon père, un ruban de couleur sur l'antenne.

Je reviens à la maison dans le même état que la veille, en pleurs, en nage et à pied.

Joseph m'entend arriver, dévale du troisième suivi de son chat de poche. Il ne prend pas la peine de se trouver une excuse, ma dévastation l'occupe pleinement. On se fait face dans le vestibule baigné d'une musique sourde, d'ici trop étouffée pour vraiment prendre forme. Mon souffle est lourd, saccadé. Ses yeux noisette vont et viennent très rapidement sur mon corps, ma tête, autour de ma tête, cherchant des indices physiques de mon tsunami intérieur.

— Ton char est encore en panne?

— Genre.

— Pourquoi y le réparent pas?

— C'est compliqué.

— Pourquoi?

— Parce qu'y faut trouver l'auto avant.

— Ah.

— Qu'est-ce que t'as dans la main?

— Rien.

— On dirait un totem…

— Non, c'est rien.

— OK.

— Ton mari peut pas te donner un *lift*?

— Pfff…

— Pourquoi tu ris?

— C'est pas mon mari.

— Ben le gars qui met des souliers de même pis qui reste chez vous.

Il sculpte, à partir de ses orteils, une forme oblongue qui se termine en une pointe légèrement retroussée quelque deux pieds plus loin. J'imagine Philippe chaussé de poulaines rembourrées en train d'essayer de monter les escaliers de l'immeuble. Faudra que je lui dise qu'on a remarqué ses souliers.

— Non, c'est pas pantoute sur son chemin.

— Tu peux demander à mon père, d'abord.

— Ça va être correct, je devrais avoir mon auto demain.

— OK.

— T'es gentil, merci.

— J'ai rien fait.

Il va s'asseoir sur la dernière marche du premier palier en attendant que je remonte chez moi. J'ai les mains vides, il n'a pas de prétexte pour me suivre. Il reprendra sa place devant la porte de Margot quand j'aurai été aspirée par mon appartement. Je l'envie de se faire du bonheur avec une chose si simple. Alors je ferme les yeux et m'accroche à la rampe pour mieux goûter, moi aussi, pour une fois, à la musique. Je ralentis à peine, j'ai l'impression d'être en train de voler la collation de Joseph. Et c'est particulièrement savoureux aujourd'hui, à la fois chargé et fluide. Derrière la porte de cette vieille femme dont la mémoire ne peut faire que des enjambées d'une trentaine d'années, le fleuve charrie d'énormes monceaux de glace disloquée qui se heurtent, se chevauchent les uns les autres, plongent et remontent avant de traverser la porte et de se perdre plus bas dans la cage d'escalier. J'ai froid et je suis trempée, comme si j'y étais. Le temps de mon ascension, violemment ballottée par la débâcle, je n'ai plus le sommeil malade, je n'ai plus perdu mon auto. Et Philippe m'adore.

Trois est resté au troisième, il attend, dans la position du Sphinx qui se pose un tas de questions. Il n'ouvre qu'un œil à mon approche. Je n'ai rien d'une moissonneuse-batteuse, il est tranquille. Décidément, les êtres de cet immeuble sont bons pour moi. Lui aussi écoute la mélodieuse douleur des hommes, comme si ça l'émouvait.

La lumière du téléphone clignote pour ne pas que j'oublie de faire défiler les *missed calls* de la journée. Dérisoire lumière d'urgence dans la noirceur de l'appartement. Philippe, ma mère, un télémarketing quelconque, le cégep, re-Philippe. Tout va bien, personne à rappeler. Une fois en pyjama, je me cale confortablement dans le divan où je me demande, juste avant de tomber endormie, pourquoi il n'y a aucun être vivant dans ma maison. À part moi. Mon œil vacille entre la couverture d'Eco et le mur chair de pomme de terre du salon.

Je suis debout dans une classe grande comme un terrain de football. Les élèves lèvent la main, posent des questions que je n'entends pas. Ils gesticulent beaucoup, comme s'ils cherchaient à compenser leur incapacité à se faire entendre. La petite grenouille de mes rêves atterrit tout à coup sur le coin de mon bureau ; là, je sais que je dors. Comme je tends la main pour essayer de l'attraper afin de la mettre dehors, un téléphone-projectile lancé à grande vitesse la fauche et la transforme en purée verte sur tableau intelligent blanc.

J'ouvre les yeux sur mon mari aux grands pieds. Par la réunion de ses sourcils en une bande continue au milieu du visage, j'en déduis qu'il est mécontent. Avec ses favoris parfaitement taillés qui lui bordent symétriquement les joues, il a l'air d'un sévère petit jardin français. Je ne sais trop ce qui, de la blancheur immaculée de sa chemise ou de son air contrarié, me fait plisser les yeux.

— Faut être chez ma mère à six heures.

Levée trop vite, je tangue un instant dans les ténèbres avant de retrouver l'équilibre. C'est dommage, je comptais essayer de me croire belle, pour tester les pouvoirs de l'autosuggestion. Mais là, je pars de trop loin, l'objectif n'est pas réaliste, je vais remettre ça. J'ai une humeur de sieste trop courte et un horrible pyjama. Je n'arriverais à convaincre personne, pas même moi. Je plonge mes mains sous mes bras, ma jauge à odeurs souvent inondée : c'est bon, je peux laisser tomber la douche et investir dans l'ébauche d'un visage santé.

Je ne profite pas des quinze minutes que nous mettons à nous rendre chez ses parents pour expliquer quoi que ce soit à Philippe. Il n'est pas nécessaire qu'il sache que je prends quelques jours de congé et encore moins que j'ai perdu ma voiture. Quelque part.

— Qui va être là ?

— Tout le monde.

Bien sûr. Madame Péloquin ne réunit jamais de tablée partielle, la famille est pour elle un corps inamputable. Elle lance ses invitations plusieurs semaines à l'avance et ne tolère aucun désistement. Comme il lui est souvent difficile d'obtenir une promesse d'engagement de tous pour un samedi soir, elle se rabat sur les soirs de semaine, où les prétextes d'absence sont moins nombreux, moins diversifiés, moins tortueux. Elle n'admet pas la fatigue, c'est le lot de chacun, dit-elle. Et il faut tout de même souper.

La maison des Péloquin a toujours eu l'air d'une petite fille proprette : la pelouse brossée, les arbres taillés, la peinture fraîche, l'entrée balayée, les fenêtres parfaitement lavées. Contrairement à ce qu'on voit partout ailleurs, la fonte des neiges ne superpose pas chez eux des strates de déchets libérés des glaces, comme s'il y avait un énorme dôme filtrant qui encageait leur maison.

À l'intérieur, il y a une place précise pour chaque chose, les objets ne sont jamais oubliés ou déposés par hasard. Les surfaces de meubles, quand elles ne sont pas libres, accueillent des œuvres d'art spécialement choisies pour relancer la couleur d'un mur, d'un divan, d'un tapis. Comme d'habitude, tout est parfait aujourd'hui, partout, en son, image, odeur, chaleur. Si parfait que je reste au beau milieu du salon, après avoir enlevé mes bottes, sans trop savoir où me déposer, craignant de briser l'harmonie des lieux avec mes habituels vêtements d'enterrement et mon humeur pas propre. Heureusement, Sandrine, la sœur de Philippe, arrive au même moment, les bras chargés de son petit ange suffisamment ficelé pour être expédié par avion sans risquer d'être endommagé. Il hurle à la mort. Je me jette sur lui.

— Allô ! Donne-moi ça, ce petit paquet-là.

— Ah merci, j'suis plus capable. Y a pas arrêté de chialer depuis qu'on est partis. Maudite idée de fou de se lancer dans le trafic à cette heure-là, aussi. Pis j'ai le dos en compote.

Dès que je plonge mes mains dans l'habit de neige en mouton, beaucoup trop chaud pour la saison, elles se mouillent. Sous cette première couche, il y a encore une tuque en mouton, un foulard, une veste de polar trois quarts de pouce et un chandail de laine à retirer avant d'atteindre le cache-couche à manches longues, complètement trempé. J'ai l'impression d'avoir plongé dans un dessous de bras.

— As-tu du linge de rechange ? Y est mouillé de bord en bord.

— Mon dieu, comment ça, y fais-tu de la fièvre ? Y est tout rouge ! Jean, regarde ça, c'est-tu des plaques, ça ?

Elle me l'arrache des mains et se met à le tâter de partout, scrutant et reniflant chaque portion de son corps. Monsieur Péloquin en profite pour me faire un clin d'œil et me glisser un verre de blanc à la main. Il distribue généreusement ses sourires, parcimonieusement ses mots. Il s'approche de sa fille, lui dépose un doux baiser sur le front et se penche au-dessus de l'enfant.

— Il faut éviter de faire bouillir les enfants, si on n'a pas l'intention de les manger, mon cœur.

Il s'enfuit presque aussitôt, pour tuer dans l'œuf toute réplique. Madame Péloquin, en hôtesse prévoyante, tend prestement à Sandrine le thermomètre à tête de grenouille qu'elle garde toujours sur elle quand elle reçoit sa fille.

— Tiens, chérie, on va en avoir le cœur net.

C'est une très belle femme, vive et intelligente, qui a beaucoup plus d'humour qu'il n'y paraît. Son port altier de grande dame, qui peut donner l'impression qu'elle est snob, cache en réalité un caractère enjoué et bon enfant qui détonne avec l'aspect très contrôlé des lieux. Elle tord quelquefois sa bouche en cul-de-poule, mais ce n'est jamais que pour dissimuler ses fous rires. Ses yeux caméléons virent du gris au vert au caramel à la moindre variation de la lumière. Elle est illisible, insaisissable, mi-humaine mi-extraterrestre. Elle adore ses enfants et tous ceux qui aiment ses enfants, sans jugement. Si elle avait le pouvoir de l'imposer, je crois que nous vivrions tous dans une grande maison multigénérationnelle où elle nous bichonnerait toute la journée. Elle aurait supporté avec bonheur une bonne douzaine d'enfants; elle n'en a eu que trois. Et, ô merveille, elle est inépuisable. Je suis certaine que quelques clones de cette femme équitablement répartis sur Terre nous permettraient d'approcher ce que tant de générations de Miss Univers ont si ardemment souhaité : la paix dans le monde. Quatre ans plus tôt, quand j'ai découvert que l'homme que je m'apprêtais à aimer était né d'une telle femme, mes doutes se sont tout naturellement évanouis. Et je crois même que c'est un peu dans l'espoir de la retrouver, elle, en lui, que je l'ai souhaité dans ma vie.

Maxime arrive, comme toujours en coup de vent, s'excusant par habitude même s'il est à l'heure.

— Salut, tout le monde! Je m'excuse!

Son père s'avance vers lui pour lui prendre son manteau.

— Excuse-toi pas, t'es pas toujours obligé d'apporter du vin.

— Oh, le vin…

De mémoire d'homme, Maxime n'a jamais apporté de vin. Peut-être une fois, à Noël. Madame Péloquin se dirige avec entrain vers son fiston, les yeux plissés, la bouche en cul-de-poule, sur le point d'éclater de rire. Elle ne manque pas de décocher un petit coup de coude à son mari en passant près de lui. Maxime sourit à la ronde, lève les sourcils en voyant le bébé – déclaré hors de danger par la grenouille – et vient nous rejoindre au salon, accompagné de son cellulaire qu'il installe confortablement sur le bras de la causeuse dans laquelle il se laisse tomber. Quelques minutes suffisent pour que retentissent les premiers bouip! d'une interminable série. Je fronce les sourcils en regardant l'objet.

Il ne manque que Fabien, l'adolescent révolté de Sandrine. Ce fils, né seize ans plus tôt d'une union qui s'est mal terminée, est plus difficile à suivre depuis quelque temps.

— Comment va Fabien?

— Ah, lui, va falloir qu'on ait une bonne discussion. Y a un peu dépassé les bornes cette semaine. Je devais lui parler hier, mais bon…

Jean, son chum trop patient, ferme les yeux, respire, tente de garder son calme. Il cale d'un trait le reste de son verre de vin. Monsieur Péloquin dégaine la bouteille. Comme Fabien n'est pas son fils, Sandrine lui interdit d'intervenir ou de jouer au père avec Fabien, même s'ils vivent sous le même toit depuis bientôt dix ans. Elle tient mordicus à ce que soit respectée son approche, la seule acceptable, entièrement basée sur la discussion, ce qui ne correspond pas vraiment à l'idée que Jean se fait de la discipline. Elle y va généralement d'un «Explique-moi pourquoi tu n'es pas d'accord, chéri», là où Jean se contenterait d'un «Parce que c'est ça qui est ça» pour mettre fin au rouspétage. Invité depuis toujours à donner son avis et à discuter de tout, le petit chéri commence généralement ses interventions par «Moi je crois que…» ou par «C'est injuste parce que…» pour contester à peu près toutes les règles et demandes faites par les adultes, de la nécessité de manger des légumes à celle de prendre une douche. Évidemment, l'arrivée du bébé, la plus vile des attaques perpétrées par le couple de dictateurs qui prétend vouloir son bien, lui a donné bien des munitions dans les joutes verbales qu'il mène contre sa mère, déjà affaiblie par la culpabilité de ne plus exister que pour lui. Malgré les ratés de son système, évidents pour ses proches comme pour les spécialistes consultés, Sandrine garde le cap sur les icebergs.

— J'ai pas pu lui parler, parce que…

— Parce qu'y s'en crisse comme de l'an quarante de ce que tu vas lui dire.

— NON! C'est pas vrai, Jean, t'es de mauvaise foi, il sait m'écouter, mais y a des moments plus propices pour la discussion, c'est tout. Hier, j'avais pas eu le temps…

— De…

— … de faire mes cheveux. J'avais l'air d'une moppe. Comment voulais-tu qu'y me prenne au sérieux.

Philippe se bidonne, M. Péloquin remplit les verres, grand-maman s'est réfugiée dans la cuisine pour aller rire un bon coup et les bouip! du cellulaire frappent les murs et pénètrent mon cerveau comme des aiguilles. Sandrine, inébranlable dans ce chaos, se lance dans une démonstration tortueuse par laquelle elle tente de nous convaincre qu'il existe une corrélation entre mise en pli et autorité.

À dix-neuf heures pile, alors que certains n'ont pas encore fini l'entrée, Sandrine se lève, ramasse tout ce qui traîne sur le comptoir, empile la vaisselle et les plats en attente sur le buffet pour libérer l'évier et les surfaces environnantes: chouchou prend son bain à 19 h.

— Je pensais que c'était juste à huit heures? J'avais tout prévu pour que tu puisses donner le bain à huit heures.

— On a changé la routine, y est trop fatigué autrement. On a décalé le bain quatre minutes par soir pendant deux semaines pour en venir à le donner à sept heures sans le mélanger.

Madame Péloquin sourit, sait qu'il n'y a rien à redire, que le bain prévu à 19 h se donne à 19 h, même s'il faut pour ça chambouler le souper de huit personnes et un cellulaire.

Maxime, je le redoutais, en profite pour me demander si les cours sont finis, si mes vacances éternelles de prof vont bientôt commencer, etc. Comme il connaît déjà

toutes les réponses aux questions qu'il pose, je l'abandonne à sa conversation, aussitôt redirigée vers son écran
tactile. Il aurait voulu être prof, lui aussi, mais il avait bien
vite changé d'idée en voyant l'échelle salariale impossible
à bonifier d'un compte de dépenses, d'un char fourni ou
d'une prime au rendement.

J'aime beaucoup les toilettes des vieilles maisons, elles
sont très loin de la cuisine. En passant devant le salon pour
m'y rendre, j'aperçois mon père qui se dirige vers l'entrée,
sur la pointe des pieds, comme pour ne pas être vu.

— Papa?

— Oh, salut, ma grande. Je voulais pas te déranger.

— Qu'est-ce que tu fais là?

— Je passais par là, occupe-toi pas de moi.

— Mais tu passes par ici pour aller où?

— Je faisais juste un tour pour me changer les idées. Je
me sens mieux aujourd'hui, j'en profite.

— T'es mort.

— C'est pas ben gentil, ça, ma belle.

— Excuse-moi.

— C'est correct.

— C'est insupportable, ici.

— Ben viens-t'en avec moi. On pourrait aller faire un
tour, même aller à l'île d'Orléans regarder les dernières glaces
descendre. À ce temps-ci de l'année, c'est tellement beau.

— J'ai pas mon auto.

— Pourquoi?

— Je l'ai perdue.

— Dommage, c'est pratique, une auto.

— Je vais la retrouver.

— Si t'étais morte, toi aussi, on pourrait y aller
ensemble, juste de même, en marchant en ligne droite
jusque-là.

— Oui, ce serait super.

— Viens quand même, on va aller se reposer à la maison. Faut que j'y aille de toute façon, j'ai plus de cigarettes.

— On a juste mangé l'entrée.

— On se fera un petit quelque chose chez nous. Peut-être que Corona est pas fermée…

— T'as faim?

— Ben non, ma belle, j'ai pas faim.

Il faut que je sorte d'ici, j'étouffe. Les paroles murmurées de Philippe me parviennent jusqu'au salon où j'enfile discrètement mon manteau.

— Elle fait de l'insomnie, elle passe ses nuits à se lever. Je sais plus quoi faire.

— Je serais pas fatigué moi non plus si je travaillais trois heures par jour.

— Maudit que t'es cave!

Si je n'étais pas en train d'essayer de me sauver, j'irais sauter sur son cellulaire, au cave, peut-être même que je le mangerais. Et je lui flanquerais une petite tape bien vive derrière la tête. Comme j'ouvre la porte, Rosanne Péloquin apparait devant moi, avec un sourire que je ne lui connais pas.

— C'est pour toi.

Elle me tend un gros paquet mou qui ne ressemble pas à une portion d'osso buco pour emporter.

— Eee…?

— C'est ta fête bientôt.

— Dans deux mois.

— Oui, c'est bientôt.

Je l'ouvre. C'est un superbe châle en pashmina, d'un beau beige crémeux, lumineux. Le tissu sur mes doigts est caressant comme un vent de canicule quand on sort la main de la voiture en roulant. C'est une pièce magnifique.

Comme elle n'est pas emballée, ni accompagnée d'une carte pleine de compliments, je ne suis pas certaine qu'elle m'est destinée.

— Prends soin de toi.

Elle s'approche et me serre dans ses bras en m'écrasant un peu les omoplates. Une pellicule d'eau couvre ses yeux, vert-de-gris. Elle penche la tête de côté, me sourit et retourne aux siens, avant qu'on commence à poser des questions, ce qu'elle s'est bien retenue de faire. Cette femme semble comprendre des trucs qui m'échappent.

En passant devant la voiture de Philippe, je glisse une note au dos d'une facture trouvée dans le fond de mes poches : « Désolée, besoin de marcher. » Je la plie avant de la glisser sous l'essuie-glace mouillé.

Le soir est bon. Seul un embrun blanchâtre emplit l'air. Il n'y a plus d'hiver possible, la vie s'impose partout avec son humilité coutumière. Je rentre chez moi à pied, rien ne presse. Quand la pluie reprend, j'attrape un taxi.

Au moment où j'atteins le premier palier, Marco sort la tête et referme la porte sur son corps qu'il tranche ainsi en deux, de biais, comme un wrap. Il est tout en cheveux, le teint cuivré de la vieille Europe du Sud.

— Oh, Josée ?

— Oui ?

— Eeeeee... ça va ?

— Oui.

— Ton auto, ça va ?

— Eeeeee... non.

— Non ?

— Non.

— Excuse-moi de pas me mêler de mes affaires, mais Joseph m'a encore raconté une histoire de fou, y me revient avec toutes sortes d'histoires de ce temps-là. Hier, y est arrivé avec une vieille boussole après sa *run*, une affaire sortie de j'sais pas où, une longue histoire qui a pas de maudit bon sens. La semaine passée, c'était une patte de renard. Peu importe. Ce soir, y m'a raconté que ton auto était brisée, pis que tu vomissais dans l'autobus…

— Oui, c'est vrai que j'ai dit ça.

— Oui? OK.

— Mais j'ai juste perdu mon auto. J'ai pas vomi.

— Tant mieux. T'as perdu ton auto ou on te l'a volée?

— Volée? Volée! On me l'a peut-être volée! Mon Dieu, j'y avais pas pensé.

— Où ça?

— Dans le coin de la 4ᵉ Avenue, proche de chez Fournel Bicycles. C'est con, j'ai jamais pensé au vol…

— Pis t'es juste partie, comme ça?

— Oui, c'est pas loin, j'étais pressée. Mais j'y retournais justement.

— Comment?

— Bof, en marchant.

— Ben non, voyons, attends-moi.

Il rentre et ressort aussitôt.

— T'es pas avec Philippe?

— Non. Tu vas pas laisser Joseph tout seul?

— Madame Nadeau s'est endormie sur le divan, je suis rentré plus tard. J'y laisse une note. Joseph dort aussi.

— Déjà?

— Y se lève de bonne heure.

Alors que je m'étais attendue à m'installer dans un habitacle transformé en déversoir de chantier, bondé d'outils, de verres à café et de morceaux de céramique, l'intérieur de l'auto est propre et parfaitement dégagé. Une boîte de mouchoirs aux couleurs qui s'agencent au cuir des sièges est coincée sous le frein à main à l'avant, un superhéros quelconque fait l'autruche dans la fente de l'un des sièges, derrière, sans égard à l'humiliation qu'il subit ainsi et un balai à neige aux poils retroussés attend patiemment la fin de la grosse saison, à moitié glissé sous la banquette avant. C'est tout. Le sable et les petits cailloux qui tapissent le fond de la voiture me rassurent ; ce n'est pas parce qu'on ne l'encombre pas qu'il est interdit de la salir. Il n'y a ici que les mains de Marco qui trahissent le dur travail physique ; elles sont larges, épaisses, noueuses, tailladées profondément en certains endroits. Quand il serre le volant pour prendre un virage, j'ai peur de voir le sang jaillir des entailles blanchies. Ça me fait une petite douleur chaude au ventre, comme à la vue d'un tibia de sprinter olympique projeté hors du corps par la force des muscles qui ont, contre toute logique, mieux tenu que l'os. Mais les soudures tiennent le coup, les rosacées comme les très vieilles, complètement décolorées. Les mains disent tout d'une personne. Je ne sais pas de quoi ont l'air celles de Philippe.

Il regarde devant, sans être sérieux. Sa tête se balance doucement, suivant le mouvement de la route cabossée. J'ai oublié de regarder ses souliers ; les Italiens sont toujours bien chaussés.

— Donc t'es partie du garage pour venir ici ?

— Du garage ?

— Ton auto était pas en panne ?

— Non. J'ai dit ça à Joseph, mais c'est pas vrai.

— Ah.

— Quand je suis revenue de l'école, hier soir, je me suis stationnée dix ou douze rues plus bas, rue Champfleury.

— OK.

— Juste pour prendre une marche.

— OK.

— Je l'ai récupérée là-bas, ce matin, pis je suis venue ici, après.

— Pour faire quoi?

— Le médecin.

— C'était à quelle heure, ton rendez-vous?

— Bof, pas mal toute la journée.

Ses sourcils se soulèvent en un accordéon de peau sur son front.

— C'est que j'en avais pas, de rendez-vous.

— OK. On va partir d'ici, pis on va refaire les rues une par une, deux pâtés de maisons de chaque bord de la 4e. Après ça, on appelle la police. On est encore dans la même journée, y devraient pas trouver ça trop louche.

— Pourquoi y trouveraient ça louche?

Évidemment, aucune trace de ma voiture. Avec une patience que je lui découvre, Marco roule lentement le long des rues, servant du «wooo, les nerfs» du plat de sa grosse main de chantier à ceux qui s'impatientent, reculant chaque fois que j'hésite. Je me sens très princesse.

Pour tout dire, je cherche à moitié, j'en suis plutôt rendue à croire que ça me rendrait intéressante, une voiture volée. Ça voudrait dire qu'on m'a agressée, matériellement – et comme une voiture est la plus grosse chose qu'on puisse se faire voler, ce serait une grosse agression –, que la police me poserait des questions, qu'on me prêterait une autre voiture le temps de régler la paperasse, que j'aurais, en somme, une histoire un peu sordide à raconter et une tout autre vie à jamais teintée par la peur du vol.

Mais le destin n'a pas la même élégance avec tout le monde. Au moment où Marco dégaine son téléphone portable et me le tend généreusement, l'image revient. Je roule tranquillement jusque chez moi, stationne la voiture…

— Ah non !

— Quoi ?

— Je m'excuse.

— Qu'est-ce qui se passe ?

— Ah mon Dieu, je suis tellement gênée !

— Quoi ?

— Je suis allée à pied à la clinique. J'ai récupéré mon char où je l'avais laissé hier, je suis revenue chez nous, puis j'ai décidé de marcher.

Il est joli, Marco. Je ne sais pas s'il est beau, mais certainement joli. L'étonnement lui va bien, dissipe un instant la tristesse qui voile toujours un peu son visage.

— Je suis désolée, vraiment.

— C'est correct, ça m'a fait sortir un peu.

— Wow ! un beau tour de char.

— C'était pour quoi, la clinique ?

Je me contente d'un sourire. Il n'insiste pas. On s'épargne ainsi les blagues faciles, toujours un peu vraies.

Au coin de la rue, en face du dépanneur, un peu au nord de chez moi, mon auto est là, aussi noire que d'habitude, sans autre signe distinctif que sa petite vignette du collège collée sur la partie inférieure gauche du pare-brise. La rue est bordée de voitures de toutes les couleurs, ce qui n'excuse rien : la mienne est bel et bien là, inchangée, facilement repérable. Mais comment voir ce qu'on ne cherche pas ?

Au premier palier, Marco me fait signe de le suivre.

— Viens voir.

— Mais non, tout le monde dort.

— Pas de danger.

Sur le divan, les chairs de Mme Nadeau se sont répandues jusqu'à occuper tout l'espace, moulant parfaitement les formes rebondies du meuble. Pas qu'elle soit énorme,

Mme Nadeau, seulement d'une autre texture, comme les femmes de son âge. Ça ne m'étonnerait pas qu'on ait le même poids, d'ailleurs. Elle a gardé ses lunettes, ouvert la bouche et replié ses bras sur son corps pour le retenir un peu. Dans toute sa disgrâce physique, elle exécute l'un des plus beaux tours d'adresse de l'Homme, l'abandon total.

À l'autre extrémité du salon, sur une planche de bois installée sur des tréteaux, des centaines de petits morceaux de céramique de formes et de tailles inégales sont posés dans un désordre rangé. Comme tout est nappé d'une épaisse obscurité, je ne distingue pas tout de suite de quoi il s'agit.

— Je fais une table pour Joseph avec des restants que je ramène des chantiers.

Tout autour du plan de travail, des boîtes de carton pleines d'éclats de céramique de couleurs différentes couvrent le plancher.

— C'est quoi, la forme?

— Un bateau. On vient juste de commencer. Le blanc, ici, c'est une voile; les pointes presque noires, là, des vagues, les mâts. La proue va venir jusqu'ici.

Sur une feuille lignée qu'il me tend, il y a un gribouillis de lignes faites au plomb qui forment en effet l'image d'un bateau secoué par une petite tempête.

— C'est le croquis de Joseph, un bateau de corsaires apparemment. Regarde ça.

Il me met entre les mains une petite boîte de conserve bosselée.

— C'est la boussole d'hier.

— On dirait une vraie.

— Ouin.

— C'est bizarre. Penses-tu qu'il l'a volée?

— Joseph? Non. Je pense pas. Il l'aurait volée où?

— Chez un client.

— Y rentre pas dans les maisons. Pis y vole pas.

— C'est un peu inquiétant quand même, non?

— Oui pis non. Y s'invente peut-être des affaires, à cause de sa mère.

— Ah?

— …

— Faut quand même qu'elle sorte de quelque part, cette boussole-là.

L'objet que je tiens entre mes mains est réel. La vitre de la petite boîte cabossée est fissurée, mais on distingue bien la rose des vents ceinte par un mécanisme dentelé au-dessus de laquelle pivotent de minces aiguilles ciselées comme des broderies. Il a beau s'inventer des histoires, l'objet est là.

Si je tenais comme d'habitude à me torturer un peu, je pourrais rentrer chez moi pour me raconter, dans un ridicule petit carnet de nuit, entre deux mesures de non-sommeil, que je suis tout juste assez intelligente pour être capable de comprendre que je ne le suis pas assez, que je ne suis pas assez belle pour faire oublier que je ne suis pas assez intelligente, que je ne gagne pas assez d'argent pour faire oublier que je ne suis pas assez belle, que je ne suis ni une bonne prof ni une bonne blonde ni une bonne fille ni une bonne sœur ni une bonne amie, que je n'ai pas de REER pas d'enfants pas de père pas de plante peut-être plus de chum. Une fois saturée de mauvaises scènes et d'inepties dévidées par la vis sans fin dans mon esprit tordu, je pourrais, dans l'inconfort des 17 °C que nous maintenons chez nous la nuit pour mieux dormir, essayer de corriger quelques copies enfin sèches ou de m'assommer avec une bonne tisane à la camomille, tiens.

Ou je pourrais, bien sûr, m'asseoir et seulement attendre le retour de Philippe. Je pourrais.

Je redescends plutôt au pas de course et m'arrête au premier parce que l'humiliation de tout à l'heure m'a dégraissé un peu l'orgueil et que je ne suis pas en état de conduire.

Toc toc toc.

— Ah, salut !

— Madame Nadeau dort toujours ?

— Eeee, oui.

Il ouvre un peu plus pour que je puisse constater que la flaque organique poursuit son œuvre de régénération. Trois surveille les travaux depuis le dossier du divan qui s'affaisse à peine sous son poids de trois quarts de chat.

— Je traverse à l'île pour voir descendre les glaces.

— Quelle île ?

— Haïti. La mer a gelé la semaine passée.

— …

— C'est une blague. L'île d'Orléans. À la pointe, Sainte-Pétronille. C'est le temps parfait.

— Y fait pas un peu noir ?

— Non, la lune est presque pleine, y a pas de nuages.

Le canard m'apparaît mal choisi pour décrire le froid qui nous pénètre les os à la pointe de l'île ; j'irais pour quelque chose de plus mordant, comme le brochet ou la mouche à chevreuil. À la pointe de l'île, la mer noire charrie des monstres de glace à tête lumineuse qui foncent sur nous et dévient au dernier instant de chaque côté. Je bouge la main pour faire comme si c'était moi qui décidais, façon Moïse. Les blocs semblent flotter au-dessus d'une mer d'acide qui gruge leur corps. Ma fascination pour la mer glacée est à moitié faite de terreur : il suffirait de s'y laisser tomber pour mourir en quelques petites minutes. Nageur ou pas, bouée ou pas. La mer glaciale ne fait pas de quartier, elle mange les corps crus.

— Wow! La prochaine fois, je réveille Joseph.

Le bruit du vent est assourdissant. On ne parle presque pas. Il n'y a rien à dire, sinon des choses trop belles pour être criées dans le vent. De mes yeux grands ouverts dans le froid de brochet, des larmes fendent mes joues. La tête bien enveloppée dans mon nouveau pashmina, je réfléchis à la façon d'inviter Marco à s'enrubanner avec moi sans avoir l'air d'offrir autre chose qu'un peu de chaleur; je n'arrive à rien, alors il gèle, et je le regarde geler. J'essaie de me convaincre qu'il doit avoir l'habitude du froid et qu'il a suffisamment de poils isolants.

Sur une grosse roche au bout du chemin, mon père fait la statue. Je savais qu'il ne pourrait résister au fleuve, à sa beauté majestueuse de petit coude de mer. J'en suis à me dire qu'il doit être gelé lui aussi avec son chandail de coton à manches longues quand il se tourne vers moi en levant le pouce. Il rentre, je pense. On reviendra pêcher quelques gros dorés paresseux cet été, à marée haute, quand il fera beau. Il me fait «oui» de la tête. Paul viendra peut-être, qu'il me dit. C'est bien, la télépathie. On s'installera au quai de l'auberge La Goéliche avec une caisse de petites bières en cannettes et on balancera mollement nos lignes dans l'eau en souhaitant que les poissons n'aient pas trop faim; on se contenterait de ne rien faire, les yeux noyés dans le fleuve, coupant de temps en temps le clapotis des vagues avec des phrases inutiles pour pouvoir dire, plus tard, qu'on a jasé. Dans la nuit qui l'avale, ma mouche à feu de père disparaît derrière la pointe incandescente de sa cigarette.

Je ne suis jamais venue ici avec Philippe, il n'est pas très sensible aux charmes du fleuve. Ses goûts sont ailleurs. Rien à faire pour la pêche, il déteste les vers de terre.

Au retour, j'ai tout manqué, la course accélérée des glaces sous le pont, le mur givré des chutes Montmorency, même les mains dégantées de l'Italien sur le volant. Je me suis endormie dans une pause quelconque que j'évite de me figurer. D'un sommeil inhabité, plein de glace noire et de bave.

On entre chacun chez soi sur la pointe des pieds pour ne rien bousculer, en se saluant d'un signe de tête discret. Avec un peu de soin, si on se retient d'ouvrir la télé ou l'ordinateur, la glace pourra tenir encore quelques heures dans nos mémoires. On rentre, Jim, nos chevaux ont besoin de repos, comme ceux des Indiens.

C'est le calme plat chez Margot. Je me serais volontiers installée devant sa porte avec quelques gorgées de fort pour redonner à mes os un peu d'élasticité. Mais il n'y a pas de musique, je n'ai pas de scotch, plus de compagnie.

Depuis la rue, l'écho sourd de la voix de Bonne Fête des Morts retentit. Toi 'si, bonne fête, toi 'si, vieux fou. Je jette un œil sur l'immeuble d'en face, au cas où En-route-Jim y serait. Je me serais laissé offrir un doigt de Jack Daniel's et une petite balade à dos de cheval.

Au fond de l'appartement, Philippe dort d'un sommeil comptable. Demain, quand son cerveau sera à nouveau complètement rechargé, il se mettra une belle chemise propre, des souliers pointus et ira calmement travailler. Il sera compétent, efficace, ne perdra pas les pédales et reviendra satisfait de sa journée.

Sur la table de la cuisine, dans le plateau à fruits transformé en vide-poches, je vois la facture, trempée, sur laquelle j'ai laissé plus tôt mon message, soigneusement dépliée et posée là. Elle aurait mieux séché sur le calorifère. Qu'il l'ait gardée, comme ça, me touche. Surtout que je suis partie comme une sauvage. Tant pis pour moi, ça me fera de la

bonne nourriture à vis. J'ouvre son portefeuille, par curiosité, avec le désir inconscient d'y trouver autre chose que de
l'argent. C'est une partie de lui que je n'ai encore jamais osé
explorer. Des dizaines de cartes colorées s'empilent sagement
dans les pochettes prévues à cet effet. La première que je tire
du lot est une carte de crédit Canards Illimités Canada. C'est
bien à lui, j'y vois son nom. Je pige à nouveau : Philippe fait
une tête de passeport sur son permis de conduire : Date de
naissance (A-M-J) : 1970-02-21/Sexe : M, Yeux : pers/Taille
(cm) : 183. J'ignore ce que ça veut dire en pouces.

— T'as besoin d'argent ?

— Eeee… oui. Oui. Je voulais aller faire une petite
course au dépanneur.

Il se tient dans le cadre de la porte, un verre d'eau à
la main. Une ombre étirée d'au moins deux fois un mètre
quatre-vingt-trois traverse la cuisine en partant de ses
pieds.

— Pochette de derrière.

— Ah, je l'avais pas vue.

— Prends ce qu'y te faut.

— Merci. T'as une carte de crédit Canards Illimités ?

— Oui.

— Pourquoi ?

— Pour la sauvegarde des milieux humides.

— Oui, mais pourquoi t'as celle-là, toi ?

— Parce que c'est celle-là que j'ai choisie, moi. Y a des
milliers de cartes, des milliers de causes, j'ai choisi celle-là.

— Eh ben…

Moi, j'ai une Visa classique ordinaire, pas de points,
pas de cause. Il retourne au lit en emportant son ombre
et ses mystères, sans me faire le moindre reproche pour
ma fugue de tout à l'heure ou mes fouilles indiscrètes.
Je ne sais pas comment aller vers lui, je n'ai jamais

su. Et je ne savais pas pour les canards. Ça me le rend sympathique.

Je sors dans la rue avec le vingt dollars que je lui ai pris, presque volé. J'ai très faim. Le néon Patate Bardy est éteint depuis un moment. Alors je marche jusqu'à la station-service 24 heures la plus proche où je me fais une réserve de cochonneries communes, colorées, calorifiques et calmantes. Le commis me jette un œil complice. Il s'appelle Carl Caron, étudiant en communications.

Sur le parvis d'une petite église croisée sur le chemin du retour, je m'assois pour casser la croûte. J'ai toujours aimé ces bâtiments majestueux, leurs grosses pierres grises, leur immense escalier, leur caractère inviolable, même si on ne s'y réfugie plus depuis longtemps. On m'a tellement dit, dans ma jeunesse, que Dieu m'aimait et qu'il rêvait de m'accueillir dans sa maison, que je me sens toujours un peu chez moi devant une église. Mais je n'entre jamais, le trop-plein d'amour m'étouffe. Je commence par des tortillons de fromage salé, j'avale ensuite un sac complet de cajous, une tablette de chocolat et un sac de chips au vinaigre, un petit, format individuel. Je nappe le tout d'une bonne rasade de jus de légumes, pour me laver un peu la conscience. Il faudrait que je balance le sac à la poubelle.

Mon père arrive en même temps que la police. Ses épaules sont relevées jusqu'aux joues, comme celles d'un enfant non coupable qui ne comprend pas ce qui se passe. C'est vers moi que se dirige le jeune policier, il n'y a pas de doute. Je jette tout de même un coup d'œil autour, discrètement, et reste calme.

— Bonsoir, madame.

C'est un bon départ, je ne suis pas une petite madame. Il me fait un sourire sans animosité, je ne suis pas une menace, je n'ai que mon livre de nuit sur les genoux – je comptais me formuler un petit encouragement – et un pashmina sur la tête. Les gens bizarres, ça le connaît. Ses bras tiennent dans les airs, à vingt-cinq degrés du corps, soulevés de chaque côté par l'imposant attirail qu'il porte pour essayer de ne pas mourir en service. Ses doigts bougent un peu, comme ceux de mon voisin cow-boy. Il a les cheveux coupés trop court, des yeux bruns irisés par la lumière du lampadaire, une mâchoire en construction qui devrait connaître son achèvement, plus carré et poilu, dans quelques années, à l'aube de la trentaine.

— Bonsoir.

— Ça va bien, madame?

— Oui, merci.

— On a eu un appel d'un des propriétaires de l'immeuble.

J'imagine Dieu au téléphone, après plus de deux mille ans de silence obstiné. Je me sens tout à coup très importante.

— Il faudrait quitter les lieux, madame. Vous êtes sur un terrain privé.

— Ici?

— Oui, c'est une résidence privée.

Je me retourne si brusquement que mon châle se défait et libère mes cheveux. Dommage, ils ne sont pas longs, soyeux et pleins de corps. À côté de l'immense porte de bois, il y a une adresse accompagnée de quatre petits boutons recouverts d'un minuscule disque de caoutchouc. Dans le coin droit de la boîte aux lettres aux quatre fentes, un autocollant avertit qu'on ne tient pas à recevoir de publicités. Un tapis gratte-bottes est posé sur la dalle de marbre de l'entrée: BIENVENUE.

— Mon Dieu, je pensais que j'étais devant une église ordinaire, à tout le monde.

— Ça existe plus, ça, madame.

Étrange comme cette nouvelle est à la fois triste et réconfortante. Je me lève et m'en vais sans faire d'histoire. Le shérif me salue du doigt et se glisse dans sa voiture, après avoir jeté un coup d'œil bienveillant à sa ville endormie, abandonnée par un Dieu déporté. Aux États-Unis, probablement.

Je regarde mon père qui s'amuse franchement.

— C'est *cool*, la police!

— En route, Jim.

Il pose une fesse sur la rampe de métal centrale, lève les pieds et se laisse glisser jusqu'en bas. Il est très habile pour un mort. Avant de jeter mon sac de cochonneries, je lui offre de prendre quelque chose.

— J'ai pas faim, merci, ma belle.

Au retour, je me déshabille, m'allonge aux côtés de Philippe. Eco m'attend avec sa générosité hypnotique habituelle; j'ai droit à un premier deux ou trois heures d'un sommeil stroboscopique contre quelques lignes d'une histoire qui parle de…

3

— C'est la vis, encore?

— Oui. Mais c'est pas aussi intense qu'avant, c'est différent. En général, ça va beaucoup mieux. C'est juste que des fois...

— Hum hum.

Elle ne me croit pas, évidemment. Elle a passé beaucoup trop de nuits à me veiller, à souffrir de me voir tourmentée, à scruter le mécanisme de mon cerveau en me flattant les cheveux, pour ne pas savoir exactement ce qui se passe en ce moment. Elle a d'ailleurs compris bien avant moi, par l'écoute attentive de mes récits de peurs, d'angoisse, d'attentes, de déceptions ressassées, insensées, que le flot de mes pensées infectées par les assauts de mon subconscient obéissait à un ressac que je ne pourrais jamais dompter, à peine contenir. Comme si le sas entre les deux hémisphères de mon cerveau n'était pas suffisamment étanche et qu'il fallait attendre, chaque nuit, l'évacuation naturelle des idées souillées pour que je sombre enfin dans le sommeil. Épuisée par les consultations et les méthodes infructueuses de tout un tas de pathes-peutes en qui elle n'a malgré tout jamais perdu confiance, ma mère a un jour décidé qu'il ne fallait pas se battre contre la vis, mais avec la vis, pour en transformer le mouvement destructeur en activité créatrice : elle a vidé sa petite valise

fleurie de voyage de noces, l'a remplie de crayons, pin-
ceaux, cartons, colles, fils, bâtonnets de bois, paillettes, et
m'a ensuite montré comment me lever, allumer la lampe
posée sur la table à cartes du salon, ouvrir la valise et me
mettre au travail en silence pour ne pas réveiller les autres.
J'étais très seule la nuit sous mon petit halo de lumière,
dans la grande maison noire, mais je me sentais proté-
gée par la valise que je croyais magique parce qu'elle était
allée à Niagara Falls. Parfois mon père se levait et venait
se planter à côté de moi, les mains calées dans sa vieille
robe de chambre. Il m'observait un moment, le temps de
repérer la pièce en préparation dans mon fouillis multico-
lore, et me gratifiait d'un grand oh ! de surprise ravie avant
de retourner au lit. Même devant l'ébauche d'un coffret à
bijoux fait de bâtons à café colorés à la gouache. Quand je
m'attardais trop et me faisais prendre de court par le jour,
il s'installait à côté de moi avec la grille de mots croisés
du journal fraîchement cueilli sur le pas de la porte. Pour
lui, le bricolage et les mots croisés n'étaient jamais qu'une
affaire de lignes : si je devais les suivre pour découper, plier,
dessiner, lui devait s'assurer que les pattes des lettres qu'il
traçait ne les dépassent jamais. Il se glissait avec moi sous
le halo de lumière, notre soleil des fins de nuits.

Mes bricolages, de très simples qu'ils ont été dans les
premiers mois, se sont rapidement complexifiés, jusqu'à
devenir, après quelques années, des sculptures de papier
mâché montées sur treillis métallique et charpente de
bois que je devais préalablement assembler le jour, dans
le garage, pour pouvoir en modeler les formes la nuit.
Les murs se sont rapidement couverts de fresques que je
remplaçais aux changements de saison ; je préparais des
couvertures de livres avec des pièces de métal pour leur
donner une touche médiévale ; je cousais des costumes

d'Halloween impossibles à porter, trop surchargés d'accessoires ; je montais des centres de table qui ont garni les cuisines de toute la parenté pendant plus d'une décennie. Mes œuvres se sont surtout empilées sur les tablettes de la cave jusqu'à l'invention du bienheureux recyclage, qui aura permis à ma mère de récupérer du rangement sans trop se sentir coupable. Et pendant tout le temps que mes mains travaillaient, la vis œuvrait en paix, égrenait les pensées ordinaires devenues noires au contact de la nuit sans trop me déranger. Au contraire, même, le flot continu des images qui surgissaient de ma tête animait mes mains, comme l'adrénaline. À l'aube, une fois vidée de toute pensée, je retournais à mon lit pour quelques heures d'un sommeil lourd qui, sans tout racheter, me permettait de fonctionner.

J'étais souvent si fatiguée que j'avais l'impression d'être enfermée dans mon corps, prisonnière de moi, comme si j'étais à l'intérieur d'une mascotte vivante : je voyais mes membres se mouvoir, mes lèvres former des mots pour répondre aux gens, tous mes sens interagir dans le respect des lois de la nature pour me recréer parfaitement. Je m'étonnais toujours que cette espèce d'enveloppe de moi, privée de moi, puisse donner le change si facilement, tromper tout le monde ; personne ne relevait jamais que je n'y étais pas. Aujourd'hui, ma fatigue se traduit plus souvent en d'inquiétantes absences : je me retrouve parfois dans mon auto, sur la route, sans savoir d'où je viens ni où je vais, réintégrant mes esprits quelques sorties trop tard ; d'autres fois, j'entre en crise de rage et j'ouvre les yeux, après quelques secondes de dissociation mentale, sur un tiroir à four récalcitrant à moitié arraché, un tableau de bord fissuré, un cellulaire en poudre ; en des moments inopportuns, je fonds en larmes, en impatience, en intolérance, en haine de moi-même. Et des autres quand ça déborde.

J'ai encore la petite valise fleurie, un peu moins fleurie maintenant que le vinyle a la lèpre. Elle ne sert plus qu'à garder au fond d'une armoire mes vieux rapports d'impôts de l'ère papier. Si j'avais eu un réel talent, peut-être que je peindrais encore. Si j'avais eu des enfants, je ferais probablement du scrapbooking. Trop de si pour le couvercle d'une petite valise qui s'est refermée sur des colonnes de chiffres.

— Pis, ton club de lecture?

— Personne m'a cru pour les tartes. Y en reste encore, si tu veux.

— Non, merci.

— On va faire un Margaret Atwood dans deux semaines, je vais m'essayer avec les biscuits au beurre de la fournée bio au coin de la 4ᵉ.

— Pis, *Gatsby*?

— Madame Poulin était déçue.

— Pourquoi?

— À cause du mot « magnifique ».

— Ah.

— Elle s'attendait à une histoire de magicien, quelque chose de même, je pense. Je m'occupais de servir le monde, j'en ai manqué des bouts.

Ma mère ne lit pas vraiment, elle ouvre les livres pour en respirer le parfum, flatte les pages amoureusement juste avant de les avaler tout rond, sans souci d'indigestion. Ainsi, quand nous étions petits, il lui arrivait d'ouvrir un livre le matin et de ne le lâcher qu'à notre retour de l'école, le soir, alors qu'elle revenait de très loin, étonnée de nous voir déjà là, catastrophée par la fuite du temps et le souper pas prêt. Puisqu'elle s'en voulait toujours un peu, après, elle demandait à mon père de bien cacher les autres livres, ce qu'il faisait volontairement très mal pour se voir de temps en temps forcé de commander une grosse pizza bien grasse de chez Giffard Pizza. J'ai d'abord aimé la littérature pour ces moments de béatitude alimentaire où nous étions soustraits aux tentatives sincères mais bien vaines de cuisiner de ma mère.

— Pourquoi tu vas pas faire un tour chez ton frère ? Ça te ferait du bien.

— Sont tout le temps dans le jus.

— Mais sont toujours contents de te voir. Faut que je l'appelle pour les rideaux, justement. T'avais besoin de rien, toi ?

— Non, merci, m'man.

— Même pas des petits coussins ?

En fermant les yeux pour me trouver une réponse polie, je revois les murs, les tablettes, les meubles garnis de mes œuvres d'art. Des tonnes de babioles pas toujours jolies, souvent bancales, qui attendent les yeux dès qu'ils se posent quelque part, sans échappatoire possible.

— Oui, OK, des petits coussins. Mais ça dépend de la couleur.

— C'est pour mettre où ?

— Eeee… sur le divan.

— Ton divan blanc ?

— Oui.

— Mais c'est parfait, ça va tellement être beau ! Y a un beau relief de cristaux blancs brodés dans le tissu.

— Quelle couleur, le tissu ?

— Mon Dieu, toutes les couleurs, du bleu, du vert, du rose orangé, c'est magnifique, c'est chaud, tu vas adorer ça.

Moi, oui, peut-être.

À l'épicerie, dans la rangée huit, une petite madame bloque le passage avec son énorme chariot qui couvre à peine la largeur de son impressionnant derrière. Qu'elle m'empêche de circuler est une chose, plutôt normale même, vu les pyramides précaires d'articles en tout genre entassés dans le milieu de l'allée, mais qu'elle ne s'en rende pas compte et ne fasse pas même semblant d'essayer de se pousser un peu me tue. Son visage est crispé dans une moue de dédain apparemment provoquée par l'insatisfaction que lui inspire la lecture des ingrédients des produits qu'elle examine. De tous les foutus produits sans exception. Elle les attrape un par un, les tourne dans tous les sens, s'attarde à tous les petits pourcentages de gras, de sucre, de sel et ne semble jamais trouver là son bonheur ou quelque chose qui satisfasse son désir de se faire du bien. Son pouce et son index pincent sa bouche aux commissures pâteuses et viennent se rejoindre au centre de sa lèvre inférieure après avoir raclé les peaux mortes, les croûtes séchées d'un rouge à lèvres à moitié effacé dans les teintes de mauve. Des traces tenaces d'un mauvais vin rouge bu la veille, peut-être. Par réflexe, fort de cette seule trace probablement mal interprétée, mon cerveau la transforme en une vieille alcoolique pas fine, facile à détester. Je m'avance en me traînant les pieds, pour faire du bruit, mais elle ne bouge toujours pas. Sourde en plus. J'ai besoin d'aller tout droit, d'atteindre la section des desserts maison, pour ramasser trois tartes aux pets-de-sœur de la boulangerie Bouchard de L'Isle-aux-Coudres. Mes plus jeunes neveux pensent que je les fais moi-même – Xavier n'y croit pas, mais s'en fout –, ce qui confère à ces tartes une importance capitale dans l'édification de mon image de bonne matante. Une personne qui dort à peu près normalement se résigne sans regimber à changer de rangée pour éviter le problème. Je n'en suis pas. En passant près d'elle, en la frôlant sans délicatesse, dans ma tête je lui crie de toutes mes forces : « Mange de la laitue bio, crisse ! » J'ai une voix intérieure qui porte, elle bouge, se dirige vers l'allée des légumes. Je me rends jusqu'au bout de la rangée, prends mes tartes, les paie et sors, sans détruire quoi que ce soit, sans tuer personne. Je suis parfois capable d'un contrôle absolument épatant.

Dans l'entre-porte de l'épicerie, un homme d'âge mûr parle au téléphone. Trop fort, beaucoup trop fort. Ma haine ne l'atteint pas. Il ne se doute de rien. C'est normal, je ne suis qu'une petite grosse madame qui tient dans ses mains – pour sauver un sac – trois tartes au sucre. Pour ne pas entacher les beaux efforts que je viens de faire, je lui laisse le temps de se glisser à droite pour me céder le passage. Elle est grosse parce qu'elle mange des tartes au sucre ou elle mange des tartes au sucre parce qu'elle est grosse ? qu'il se demande, le monsieur, en me regardant passer. « TA GUEULE, TA GUEULE, VA PARLER DANS TON CHAR, MAUDIT FOND DE SHORT ! » Je le foudroie de mes yeux laser. Il se prend la tête avec sa main libre et grimace de douleur. J'ai la haine toute-puissante.

Sur le trottoir, un petit groupe d'adolescentes, nombril à l'air, gesticulent et piaillent comme si une vedette impubère venait de passer. Pour les contourner, je suis forcée de mettre un pied dans la rue, dans la rigole de boue liquide qui charrie tout ce que la ville éjecte, crache, jette. Elles débitent des âneries à une vitesse folle, convaincues que l'espace circulaire qu'elles occupent sur la chaussée est le centre de l'Univers. Je suis bien vite vengée : une auto passe à toute vitesse et les enduit d'une glaçure brunâtre. Au son, on se croirait dans la partie du film d'horreur où le gars débarque avec une scie à chaîne.

Il faut que je fasse un détour par chez moi. Aux différents tics nerveux qui électrifient les muscles de mon visage et qui me donnent envie de crier, je sais que je supporterai difficilement la cacophonie qui régnera chez mon frère. Je vais devoir sortir mes bibelots-médicaments.

Dans une boîte de chaussures, au fond de ma garde-robe, dorment des horreurs en plâtre, céramique, verre ou porcelaine que je ramasse et achète au petit bonheur de mes fouilles dans les ventes-débarras. C'est une collection de type éphémère, suggestion d'une amie psychologue. Quand serrer les dents ne suffit plus, j'en attrape un et le lance de toutes mes forces sur une surface dure pour tenter de «fragmenter ma colère dans un geste libérateur». J'ai choisi la céramique de notre cuisine en fonction de sa résistance aux impacts. J'y vais au hasard, sans souci d'ancienneté. Mes doigts se ferment sur une espèce de chien roux harnaché d'un collier vert et rouge dont la langue pend exagérément. La rage, peut-être. Une belle explosion juste devant le lave-vaisselle. L'émiettement, bien que réussi, ne me libère pas pleinement. Un berger au teint rose et les yeux dans le même trou tient dans ses bras un mouton noir gros comme un chat; je le catapulte d'un grand pivot d'épaule sur les débris de chien. Un peu mieux, j'ai un atome de paix intérieure qui remue quelque part. Je profite de l'espoir qui me gagne pour sortir l'artillerie lourde : une boule de Noël en verre de Murano que Philippe a reçue de son ex. Je n'ai rien contre l'ex, rien contre Philippe; le verre va sûrement éclater en milliards de fines particules et c'est tout ce qui compte. Mon bras tournoie dans les airs, se transforme en accélérateur de particules qui projette la belle boule de nouelle au centre de la pièce, avec point de chute sur l'insertion en céramique censée nous faire croire que nous avons une petite roseraie au centre de la pièce. Je souris, c'est bon. Le plancher est couvert d'une fine poudre de verre précieux. Trois est monté voir ce qui se passait par l'escalier de secours. Derrière la vitre givrée par les gouttes de pluie séchées, il me regarde avec accablement. C'en est fait, il ne me laissera plus jamais l'approcher. Je n'ai pourtant pas pulvérisé de chat, seulement un chien de la taille d'un chat dans les bras d'un berger mal peint. Peut-être qu'il est sensible aux comparaisons. Mais il a bien raison de me croire folle. Je suis folle. Toutes les femmes sont folles, à différents degrés, c'est bien connu. Tous les livres le racontent, depuis le début des temps. Même si l'Histoire les a tour à tour brûlées, enfermées, électrocutées, lobotomisées, médicamentées, elles n'en sont pas moins folles aujourd'hui. Alors je m'inscris dans l'Histoire en y allant d'un grand chhhhhh, les yeux exorbités, les griffes sorties pour faire fuir la bête tronquée que j'accompagne, dans sa fuite, d'un rire sadique hautement décibellé. Si l'Inquisition débarque, je les découpe en pièces un à un et les fait disparaître dans les planchers d'autobus.

Avec Marie, ma belle-sœur belle, nous attendons les garçons. Le premier termine ses cours à 14 h 37, l'autre à 15 h 09 et le troisième à 15 h 23. Question de logistique du transport, inspirée des plus élémentaires lois olympiques : on décale le départ des participants pour ne pas qu'il y ait d'accrochage sur le parcours. Pour obtenir l'heure de leur arrivée, il faut ajouter trois minutes pour l'habillement, onze minutes de marche au pas traînant et environ sept minutes de niaisage au coin de la rue avec les amis. En moyenne. Mon frère ramasse le petit dernier à la garderie beaucoup plus tard, quand on le laisse s'échapper de la clinique. Marie peut donc à loisir superviser les devoirs des deux plus jeunes, sermonner le plus vieux sur à peu près tout, ramasser la maison, faire le ménage, la vaisselle et le souper sans avoir le petit dans les jambes. Tout en demeurant belle naturellement. Marie est le genre de femme à qui on pardonnerait sans hésiter de manquer de profondeur tant sa beauté obnubile. Mais elle n'en manque pas, évidemment, mon frère l'a choisie.

Avant de venir, j'ai fait un arrêt à la tabagie Jacques pour voir ce que Robert, fin chercheur de trésors chimiques devant l'éternel, a dégoté ces derniers temps comme bonbons dégoûtants. C'est un homme dévoué qui fait le tour des foires de cochonneries sucrées pour dénicher les plus invraisemblables bonbons. Il a même déjà fait l'objet d'un article d'un journal sérieux, quelque quinze ans plus tôt, dans le temps de l'Halloween, pour la terreur qu'inspiraient certaines de ses trouvailles (cadavres en nougat farcis d'entrailles à la gelée de fraises, yeux-jujubes avec iris croustillants à la menthe, tombeaux en chocolat contenant des membres en putréfaction fixés dans de la gélatine verte, etc.). Depuis, dans un cadre laminé cloué sur la porte d'entrée qui surprend par sa capacité de jaunir sans fin, le fameux article accueille les clients qui n'y font plus attention. Cette fois, pour les plus vieux, j'ai des bols de toilettes en sucre dur dans lesquels une poudre brune motonneuse figure une merde de type diarrhée qui se déguste avec un bâton en forme de débouche-toilette. Pour les petits, des oreilles en cire serties de veinules rouges garnies de caramel ferme que l'on retire du creux du conduit auditif avec un cure-oreille en bonbon dur. De pures merveilles. Mes neveux en raffolent et les traînent à l'école pour faire crier les filles. Ma belle-sœur, chaque fois, promet de me tuer en s'étouffant d'un petit rire qui lui donne deux fois son âge. Ce ne sont pas tant les bonbons eux-mêmes qui la sidèrent que la vacuité de l'exercice créatif que cela suppose ; il y a des gens de génie qui consacrent leur talent à créer des bols pleins de merde sucrée pendant que. Des pendant-que qui se peuplent, dans ma tête fatiguée, de visages d'enfants qui ne mangent jamais de bonbons, jamais de grand-chose, en fait. J'ai beau être d'accord avec elle, tout m'accuse : c'est la demande qui crée le produit.

Marie arrive à tout faire en même temps. Joe 90 ne suivrait pas. Je ne suis pas. La regarder m'épuise. Nous ne sommes pas de super bonnes amies, pour toutes sortes de raisons. Mais on s'aime beaucoup, ça nous suffit. Avec moi, elle ne partage que ses angoisses les plus avouables.

— J'ai tellement hâte à 2013.

— Pourquoi ?

— À cause des dates sur les pots de yogourt, je sais jamais si c'est le mois ou l'année. À partir de 2013, ça va devenir simple pour un méchant bout.

Elle regarde le pot de yogourt qu'elle vient d'extraire du réfrigérateur et voudrait vraiment savoir, de façon certaine, s'il peut tenir le coup jusqu'en novembre ou s'il traîne dans le frigo depuis deux ans. Elle doit être très fatiguée, beaucoup plus que moi, pour penser qu'un pot de yogourt pourrait survivre ne serait-ce que deux jours aux quatre trous sans fond qu'elle a engendrés. Leur estomac est une vis sans fin qui tourne sans répit, jour et nuit.

— Quoi de neuf, toi ?

— Pas grand-chose.

— Le cégep ?

— Ça va.

— Toujours débordée de corrections ?

— Ben oui, comme toujours.

— Pis Philippe ?

— Rien de neuf non plus. Toute du vieux.

— Bon, tant mieux.

— Vous autres, les garçons?

— Pas grand-chose, Léo est enfin propre, William s'est blessé au soccer la semaine passée, on a passé la nuit de vendredi à samedi à l'hôpital, Romain est en train de préparer ses examens d'admission pour le secondaire...

— Déjà?

— ... oui, pis on va être obligés de commencer les traitements d'orthodontie dans quelques semaines. Ça va être moins dur si on commence tout de suite...

Elle me raconte tout ça la tête dans le tiroir à légumes. Je crois qu'elle lave son réfrigérateur. Le genre d'activité que je planifie deux mois d'avance et à l'évocation de laquelle je soupire durant tout le mois qui précède. Une douleur, une vraie. Pour Marie, c'est une tâche qui se glisse entre une traduction urgente et la confection de muffins aux bananes. Elle ne sent rien quand elle le fait, n'a même pas conscience de le faire, en réalité. Elle le fait parce que c'est écrit sur la liste et qu'il n'y a pas moyen de s'en sortir sans suivre la liste.

— ... on a changé d'auto, on n'y arrivait plus avec tous les sacs d'équipement, le football va recommencer, pis Xavier, ben Xavier... y a quinze ans, bientôt seize. C'est pas sa faute, ça va passer. C'est un peu dur avec son père.

Marie est traductrice. Elle travaille à la pige à la maison, pour un ami qui lui refile du boulot, des trucs qu'il n'aime pas trop traduire, des publicités de cartes de crédit, toujours urgentes, qu'il faut traiter avec un empressement auquel les grands malades que soigne mon frère ne peuvent que rêver. Ceux qui n'ont pas d'enfants croient souvent que la position professionnelle de Marie est, pour une mère de famille, entre toutes, la plus enviable: elle peut à la fois travailler et élever ses enfants. C'est bien connu, les enfants des travailleurs-à-la-maison naissent propres, se nourrissent, jouent, se soignent, se consolent et font des crises dans le respect de l'autonomie et de la liberté que leurs parents se sont données pour cadre de travail, contrairement aux autres enfants qu'il faut confier à des garderies parce qu'ils requièrent des soins de tous les instants. Et comme elle est là, Marie la pieuvre, elle peut aussi faire le ménage, les courses, le jardin, les divers petits travaux de réparation et recevoir par Fedex les pubs pressantes à traduire de la grosse banque qui doit diffuser dans l'heure ses promotions alléchantes. L'émerveillement de ceux-ci et de ceux-là devant la chance de Marie est sans fin. Jusqu'à ce qu'ils aient des enfants à leur tour et en viennent à se féliciter, à la fin d'une journée – une à la fois désormais –, d'avoir trouvé le temps d'aller seuls aux toilettes.

Quand je vois Xavier franchir la porte, avant même qu'il n'ait parlé, je sens que se réanime en moi tout ce qui m'avait un jour fait souhaiter l'abolition de l'adolescence : ses bras trop longs traînent nonchalamment le long de son corps invertébré ; il n'y a pas moyen d'imaginer, dans le fatras de ses vêtements aux longueurs incongrues, où commencent et se terminent les jambes ; la mâchoire, qui tarde à prendre la carrure qu'on lui souhaite, pend mollement dans ce champ de poils trop longs qui lui viennent de la tête et qui couvrent la moitié de son visage et de ses yeux, qu'il a peut-être beaux, nul ne saurait le dire. Les deux autres sont entrés avec un « s'lut matante ! » énergique avant de débouler jusqu'au sous-sol, une boîte complète de barres tendres salées sucrées sous le bras. Lui, Xavier, en grognant quelque chose d'inintelligible, passe devant nous sans s'arrêter, sans nous voir. On marche depuis si longtemps sur la Lune, il y a sûrement moyen de se bricoler un peu les gènes pour raccorder directement l'enfance à l'âge adulte, sans passer par cet âge ingrat. Mais Marie aime ses enfants, même celui-là, et peut-être encore plus celui-là, plus difficile à aimer ces derniers temps, précisément parce qu'il est plus difficile à aimer, ça s'entend dans le sourire préfabriqué qu'elle m'offre et qui ne lui enlève rien, bien sûr, de sa beauté naturelle.

Comme tous les trois sont maintenant ventousés sur leurs écrans et gadgets électroniques truffés de boutons, une cacophonie d'éclats cristallins et de tidou! intersidéraux envahissent l'espace, s'engouffrent dans la cage des escaliers qui relie les étages de la maison pour former un vortex assourdissant qui aspire tout. De l'avis professionnel de mon frère médecin, passer quelques heures par jour devant un écran est salutaire pour la santé des parents. Je me fais la remarque que j'aurais dû éclater la tête de quelques bibelots supplémentaires. Plisser mes yeux est un réflexe stupide : ça ne limite pas la quantité de bruit qui pénètre dans mon cerveau.

Je me lève pour accueillir mon frère, le petit dernier accroché à son cou comme un petit singe. C'est le seul qui se laisse encore approcher.

— Colle-toi pas trop la tête sur lui.

— Encore ?

— C'est Romain qui en avait la dernière fois.

— Encore quand même !

— On passera tout le monde au rasoir tantôt.

— Compte pas là-dessus, Xavier te laissera jamais toucher à son toupet.

— On y laissera le toupet. De toute façon, y « pensent » avoir vu des lentes à la garderie, c'est pas sûr.

Paul fait silencieusement le geste de dévisser une bière en me regardant.

— OK.

— T'entends ça, Marie ? Je suis pas encore arrivé que ma sœur me demande déjà une bière.

Marie lui décoche un sourire de coin de joue, comme si elle pouvait encore s'amuser d'une blague aussi usée. Elle s'approche en laissant pendouiller son torchon pour mieux le regarder dans les yeux.

— Grosse journée?

— Oui, grosse journée. Toi?

— Grosse journée.

Voilà, c'est tout le temps qu'on avait. Cet instant de lenteur, pris en sandwich entre deux courses folles, est le lieu sacré de leur intimité. Ils n'ont souvent que ça pour tenir. Et moi j'y suis, vampirisant sans le vouloir leurs trois secondes de connivence quotidienne avec ma détresse de femme qui n'a pas de problème et trop de temps pour penser. C'est très difficile pour moi de me l'avouer, surtout dans le moment, mais la vie est une somme de choix.

Le petit remonte au même moment, William lui avait promis qu'il pourrait jouer à King Kong machin sur son DS, mais là il ne veut plus parce que l'autre ne lui a pas laissé le temps de faire quelque chose qu'on ne comprend pas; William arrive pour se défendre avec une histoire particulièrement tordue juste au moment où Romain hurle, paniqué, qu'il ne trouve pas son chandail d'équipe, piaffant de colère, accusant les trois autres de gâcher sa vie. Les répliques et doléances des uns et des autres contre les uns et les autres se multiplient ainsi à une vitesse effarante. Elles commencent toutes par «Nan, c'est même pas vrai» ou par «Ouin, mais c'est parce que». Xavier, qui est descendu en entendant son nom, se contente la plupart du temps de répondre «Rapport» quand les interventions le concernent. Ils se poussent, jouent du coude discrètement, se pincent, se tapent, serrent les dents, s'aiment comme des frères. Marie se tourne vers moi.

— C'est la faim. À TABLE, LAVAGE DE MAINS!

Tout se déroule comme dans mes rêves pendant le souper. Les gars engloutissent trois portions de lasagne chacun en faisant d'épouvantables bruits de bouche et la guerre éclate dès que la manche trop longue de Xavier, en route vers le sel, s'aplatit sur le fromage gratiné de Romain. Je soulève d'instinct mon verre de vin à quelques reprises pour éviter le roulis de la table. La houle monte et redescend doucement, guidée par la voix ferme de Marie qui, sans cesser d'être belle, ramène toujours le calme plat. Les trêves ne sont jamais longues, bien sûr, mais les victoires ici se gagnent aux quarts d'heure. Et pendant que la table continue de se couvrir d'un salmigondis de tout ce qui aurait dû tenir dans les bols, les assiettes, les verres, des bribes de journées saillent çà et là dans la conversation, dans un fouillis inextricable pour quiconque ne connaît pas Jess, Pat, Kev, Lili, Faf, Big One, Do-Joe, Mme Janie et cie, mais qui finissent tout de même par recréer la fresque de leur journée, de leurs joies, de leurs malheurs. Léo peine à se faire entendre, les mots mettent trop de temps à s'orchestrer en phrases dans sa bouche. Il n'en sort jamais qu'une forme de bégaiement. Alors Marie et Paul, suivant en cela les recommandations de l'orthophoniste, imposent des temps d'arrêt pour que les «Mais moi là» répétés se transforment, eux aussi, en anecdotes. Évidemment, comme il a compris depuis un moment que ses interventions sont l'objet d'une attention imposée, il en profite de plus en plus souvent pour amuser ses frères qui le paient de rires bien gras.

— Mais moi là, mais moi là, mais moi là…

— Oui, Léo…

— Les gars! Donnez-y une chance.

— On t'écoute, Léo…

— Mais moi là…

— Oui, toi…

— ... j'ai mangé des crottes de nez au vomi de poils de cul...

Les tartes ont droit à une ovation debout qui fait planer sur la place l'illusion d'une paix durable d'une dizaine de minutes. Les gars s'empiffrent des deux premières pendant que nous finissons notre premier et dernier verre de vin. Au bonheur que j'éprouve à les voir manger les tartes que j'ai seulement achetées, j'arrive presque à ressentir ce que ça doit être quand on les a faites soi-même.

— J'y vais. J'en ai pour une heure et demie, gros max.

— Mais où tu vas ?

— Y a une pratique de soccer. Pis faut que je laisse William à son cours de guitare en passant chez mônsssieur Charles de la Sablonnière. En les attendant, je vais faire changer mes pneus au garage, y m'ont donné un rendez-vous de dernière minute. Je te laisse avec Marie, je reviens.

— J'ai envie de caca !

Marie laisse sortir de ses poumons une impressionnante quantité d'air ; elle a des assiettes dans les deux mains, un linge à vaisselle trempé sur l'épaule et retient la porte du frigo avec un pied pendant qu'elle lit une autorisation à signer que lui tend William.

— Laisse-moi ça, William, je regarderai ça quand je serai au garage. ROMAIN, ON PART !

— J'ai envie de caca !

— Xavier, s'il te plaît, pourrais-tu y aller ?

— Eh non, *man*, jamais de la vie, ça y prend deux heures pour chier.

— Tu ne m'appelles pas *man*, OK, je suis pas ton pote, encore moins un homme.

— Ah *come on*, m'man.

— *Come on* toi-même !

— C'est trop long !

— Faut être patient avec Léo, tout le monde y pousse dans le derrière à cet enfant-là, y peut ben être constipé. J'ai passé des années à te regarder « chier », moi.

— Ouin, mais c'est pas mon *kid*.

— C'est ton frère, ton petit frère. Ton dernier petit frère.

— Une chance.

— Là, on est d'accord.

— Mais j'ai pas le temps, là.

— Ah non, qu'est-ce qui t'occupe tant, donc ? Raconte-moi ça.

— J'ai envie de caca !

— J'y vais ! J'y vais, faites vos affaires.

Les sourcils de Léo lui grimpent jusqu'aux cheveux. Il se met en marche avec une fierté mal contenue, je vais aller le regarder forcer pendant, quoi, deux heures ? C'est ce que ma mère appelle le centre du malheur à la bonne place.

— Tatie ?

— Oui ?

— Tu sais-tu où qu'y va mon caca après ?

— Ton caca ? Eeeee… dans les égouts, pis après dans la rivière Saint-Charles…

— Non. Y tombe dans l'eau du bol, après y va dans le plancher, pis y va là…

Il pointe le calorifère juste devant lui et suit précautionneusement chaque enfilade du grand serpentin avec son petit doigt pour que je ne manque rien de la grande aventure de son caca dans le calorifère. Il s'arrête un instant, congestionné par l'effort qui lui fait une tête étonnamment turgescente, et repart de plus belle en me donnant le reste de l'itinéraire légèrement plus nébuleux.

— Pis après y fait des tourbignons en dessour du bain et pchiiiiout, par là.

— Wow ! Ça voyage, une crotte.

— Oui.

— Super.

— Josééée ?

Cette façon qu'ont les enfants de toujours s'assurer, même en pleine conversation, qu'on les écoute, eux, alors même qu'on a les yeux plantés dans les leurs et la bouche bien fermée. Alors qu'on est, à part eux, la seule personne présente dans la pièce.

— Ouuuiii ?

— Pourquoi tu dis ça comme ça ?

— Passe que.

— Josééée ?

— Ouuuiii ?

— Eille !

— OK, choque-toi pas. Vas-y.

— Josééée ?

— Oui.

— Tu sais-tu c'est qui, l'animal qui court le plusse vite de toute le monde ?

— La gazelle ?

— Non, le guépard.

— Eh ben.

— Mais le vrai plus vite, c'est Jésus.

— Ah oui ? C'est quoi, ça, Jésus ?

— C'est pas un animal.

— Non ?

— C'est un gars qui a pas des vrais yeux parce que y est mort.

— OK...

— Lui y peut aller plus vite, mais quand y met des babouches pis une robe, non.

— Ah non ?

— C'est dangereux de se farger avec des babouches, pis on peut se arracher les orteils. Aïe!

— Qui t'a dit ça?

— Mon père.

Il regarde au loin comme si la scène jouait devant lui. Jésus court dans sa tête, s'enfarge et se râpe les orteils. Une espèce de chemin de croix version Disney. Il sent la douleur, son visage se crispe. De mon côté, j'ai des images du film *La vie de Jésus* qui refont surface, le grand classique familial du temps de Pâques des Québécois de toutes les religions. Pâques, le seul moment de l'année où la torture, les morts violentes, les bassesses des hommes devenaient soudainement des objets d'instruction qu'on nous invitait à regarder à trois heures de l'après-midi. Jésus aurait bien échangé n'importe lequel de ses supplices contre un crounchage d'orteils ou une contre-performance sportive.

— Pis c'est quoi, l'affaire des yeux…

— C'est passe que, quand t'es mort, on met de la paille dedans ton corps pis des yeux en vitre.

— Ah?

— Comme chez gros-papa Jacques.

— Chez gros-papa Jacques?

— L'orgnial sur le mur.

— C'est quoi le rapport avec Jésus?

— Pfff…

Je ne comprends rien, ça lui fait plaisir de pouvoir être exaspéré. Faut bien qu'il se venge sur quelqu'un, le petit frère toujours trop petit trop lent trop con.

— Sur la croix, là.

— Ah, OK. Pis, ça s'en vient?

— Non.

— Ça te pique-tu?

Il se tourne rapidement pour se regarder les fesses.

— Non, dans ta tête, ça te pique-tu dans tes cheveux?

— Non.

Il se met bien sûr à se gratter frénétiquement la tête avant d'enchaîner sans transition avec sa théorie de la disparition des dinosaures. Marie m'apporte un autre verre de vin pour m'aider à tenir le coup. Je me sens ramollir, ma fatigue n'est plus qu'une douleur lointaine dans mon corps qui n'arrive plus à se tendre, à détester. Ma colère n'a, ici, aucune prise.

— Je te remplace si tu veux?

— Non non, ça va, j'apprends plein d'affaires.

Plus tard, beaucoup plus tard il me semble, plus savante que jamais, un bord de bain encastré dans le derrière, je sors de là avec un Léo satisfait de l'ensemble de son œuvre. Il a fait vite: quarante-deux minutes. Ça fait plus d'une quinzaine d'années que Marie et mon frère se tapent ce genre de séance. Si on ne canonise pas les parents, c'est qu'ils accomplissent beaucoup trop de miracles pour qu'il soit possible de les consigner. Avec les religieux, on s'en tient à des dossiers raisonnables, quantifiables. C'est rassurant et ça permet de présenter des reportages télé, durant la Semaine sainte, dans lesquels on peut faire le tour de leurs accomplissements spectaculaires en trente minutes.

Je prends encore un verre de vin en regardant Marie fouiller le fond de la tête de Léo avec un peigne trop fin à la recherche d'œufs minuscules qui affectionnent les paravents des oreilles et la chaleur de la nuque. Il ne dit pas un mot, des larmes plein les yeux parce que ça tire fort. Il est résigné, c'est le verdict qui compte. Il imagine peut-être pouvoir négocier un peu de chance contre sa souffrance silencieuse.

— C'est ben beau ça. Les toupets sont saufs. Mais là, Léo, colle-toi pas la tête sur les autres à la garderie, OK?

— Mamaaaaannn?

— Oui, chéri?

— Mamaaaaannn?

Il tend les bras vers elle et se plante la tête dans l'une de ses épaules, probablement une forme d'amour. Il n'a rien à dire, évidemment, il voulait juste voir s'il pouvait parler. Il repart avec un rouleau de bonbons Rocket, vainqueur. Paul arrive avec les enfants du milieu, la voiture bien chaussée. Et c'est la ronde des nuits qui démarre. Marie n'aura posé ses fesses qu'une quinzaine de minutes, repas inclus, pendant toute cette longue soirée de semaine tout à fait ordinaire, plutôt calme même. Plus tard, beaucoup plus tard, Marie dormira, mon frère aussi, parce qu'ils seront épuisés, oui, mais aussi parce qu'ils savent dormir. On ne se fait pas quatre enfants si on ne sait pas faire ça.

Paul s'approche. Ses yeux doux se posent sur moi comme des questions, trop habitués à chercher ce qu'il faut soigner bien au-delà des réponses formulées.

— Me semble que t'as maigri, Josée.

— Bof, pas vraiment. Mais peut-être, je marche un peu plus de ce temps-là. Pis je mange moins.

— C'est vrai, j'ai pas vu ton auto.

— C'est pas loin, ça fait une belle marche. J'aurais pu appeler Philippe.

— Philippe qui?

En inclinant la tête, il me sourit de ses dents pas toutes droites, pas très blanches, imparfaites comme celles d'un homme parfait. Et de ses lèvres entrouvertes, je crois entendre «cours Josée, cours». Mais je peux me tromper, alors je ne réponds rien.

— As-tu besoin de quelque chose?

— Ben... c'est pas que j'en ai vraiment besoin, mais il m'en faut un pareil. C'est un peu compliqué.

— Oui…

— Mais eee…

J'entends le ton qui monte au deuxième, William veut finir sa partie, il joue en ligne et ne peut pas se débrancher comme ça, Léo cherche sa brosse à dents de Starwaze, Xavier veut sortir aller rejoindre ses amis. Quatre personnalités, quatre univers difficilement conciliables. Je n'ai essayé qu'une seule fois de les faire asseoir tous en même temps autour d'une table pour jouer au Monopoly. Regrettable débordement d'enthousiasme de ma part. Le petit pleurait parce qu'il ne savait pas compter et voulait les cartes de trains, William chialait parce que j'avais amené la version de l'Ancien Temps avec des piastres en papier au lieu de celle avec des cartes de crédit électroniques, Romain faisait une moue de dégoût quand il tombait sur des terrains « couleur de fif » qu'il ne voulait pas acheter – sans pouvoir m'expliquer ce qu'est un « fif » – et Xavier avait décidé de quitter la table après dix minutes en lançant à la ronde que c'était un maudit jeu de « fucking capitalistes à 'marde ». Même s'il venait de remporter quinze dollars pour un concours de beauté.

— Je peux m'arranger autrement, c'est correct.

— T'as besoin de quoi, sœurette ?

— De rien. Vas-y, Marie va finir par en égorger un. Je te rappelle cette semaine.

— Mais non, c'est une sainte, Marie.

— T'es chanceux.

— Je sais.

— Tiens, donne ça aux garçons.

Je lui tends le sac aux trésors dégoûtants, j'allais presque oublier. Il ferme les yeux en souriant, une main sur la hanche, avec sa façon de rire d'homme trop sérieux, et me colle un baiser sur le front, précaution de médecin qui se tient loin des muqueuses. Paul n'insiste jamais.

— Embrasse Marie pour moi.

— C'est sûr.

Je lui fais seulement un clin d'œil. Ses grandes jambes avalent trois marches à la fois et le propulsent au deuxième, dans la vie, la sienne, loin de moi. J'ai vécu vingt ans avec cet homme, vingt ans de préparation pour apprendre à m'en séparer. Je n'y suis arrivée qu'à moitié. Avoir un frère merveilleux est une tare génétique qui condamne au vertige de l'absence pour la vie. Les autres hommes peuvent être extraordinaires à qui mieux mieux, ils ne sont jamais qu'eux-mêmes, donc pas lui.

Une fois sur le trottoir, j'entends qu'on frappe dans une vitre. C'est Léo qui «toctonne», pour m'envoyer la main fermée sur une oreille en cire nervurée. Et dans les rideaux qui valsent dangereusement, des paires de mains sans corps se bousculent. Sauf celles de Xavier, qui doit trouver ça con, *man*, de faire des tatas à sa matante. J'ai aussi le temps de voir un bol de toilettes minuscule planant dans les airs.

Et la vie les rappelle, ils disparaissent. Le rideau tombe pour moi. C'est si tranquille dans la rue. D'un calme agressant. De la vraie vitamine à vis.

Quelques kilomètres plus loin, chez moi, il n'y a que mon père qui fait des mots croisés en fumant des cigarettes écologiques.

— Allô, ma grande! Où t'étais, coudonc?

— Papa…

— C'était pour faire la conversation.

— Excuse-moi. On recommence.

— Mais non, c'est correct.

— Mais oui, enweille !

— OK. Bonsoir ma fille, où t'étais, ce soir ?

— Chez ton fils.

— Il va bien, mon fils ?

— Très bien, comme toujours.

— Toujours aussi occupé ?

— Ben oui, comme toujours.

— Et les enfants ?

— Bien, bien bien.

— Tant mieux, tant mieux.

— Toujours aussi…

— Oui oui oui, toujours aussi.

— Pis la belle Marie ?

— Toujours la même. Même pas un 'tit peu folle.

— Tant mieux, tant mieux.

— Ben oui ben oui.

— Pouet pouet pouet, cacatoès cacatoès…

— OK ! T'as vu Philippe ?

— Non.

— Non ?

— Non.

— Ah.

— Pourquoi t'as pas demandé un certificat à Paul ?

— J'avais pas le goût.

— Y aurait trouvé ça drôle, ton histoire de cellulaire.

— Non.

— Ben oui.

— Je pense pas. Pis y a pas le temps.

— Ben voyons, ça prend treize secondes, écrire ça.

— Écrire quoi, justement ?

— Maladie mentale temporaire, trois jours de repos.
« Paul Gingras » barbouillé dans le milieu avec son numéro
de médecin.

Il s'étouffe en riant, comme le gros fumeur mort qu'il est. Ses poumons sont une pompe à gaz qui tourne à vide, hoquette sans fin. Des soubresauts secouent son corps dans tous les sens, comme ceux des extraterrestres, dans les films, quand ils s'apprêtent à vomir un œuf ou à se transformer en une bête beaucoup plus redoutable. Quand sa toux cesse enfin, il s'étreint le corps à deux bras, comme si on venait de le passer à la baïonnette. Il n'y a plus rien sous les pans légers de sa chemise.

— Papa…

— Ça va…

— Ça fait mal ?

— Ça va.

— Je sais pas si c'était une bonne idée de te garder à la maison. Je pense que t'aurais vécu plus longtemps si t'étais resté à l'hôpital.

— Oui, probablement. C'est pour ça que j'étais si content que vous me rameniez chez nous. Ça niaisait pas sur la morphine.

— On t'en donnait trop.

— NON ! C'était juste parfait, parfait. Ça fait mal, le cancer.

Ce qui restait de son corps, dans les dernières semaines, ne s'enfonçait plus dans le matelas, échappant désormais à la gravité. Bien engourdie par les drogues, la douleur se tenait tranquille, laissait le champ libre à la mort qui attaquait le corps sur tous les fronts, victime indolente. On la savait de retour quand les muscles du visage, l'instant d'avant en repos, se tordaient soudainement jusqu'à froisser la peau, quand les veines du cou se tendaient comme des câbles de pont capables de soutenir un corps de plusieurs tonnes. Il fallait s'empresser de faire une injection, le plus lentement possible, pour réduire la sensation de brûlure sur le bras. Le corps mettait d'interminables secondes à lâcher prise.

— Pis tu pouvais continuer de fumer.

— Aaah! ça, ma princesse, c'était merveilleux!

Il part dans ses pensées en tirant sur sa cigarette une bouffée d'air goudronnée qui ne ressort pas.

— Je me sentais tout le temps coupable, à l'hôpital. Je voyais tout le monde qui travaillait fort pis je pouvais pas m'empêcher de penser à ce que ça devait coûter, au temps supplémentaire que tout ce monde-là faisait pour moi, pour m'aider à mourir. Moi qui avais tant fumé…

— …

— Remarque qu'à la maison aussi je me sentais coupable. À tour de rôle à mon chevet, toute la journée, toute la nuit, vous avez déjà des vies tellement chargées. Obligés de me faire uriner, de me laver, de me soigner toute la journée…

— Voyons, papa…

— Pis mourir, juste mourir. Je pouvais pas croire que je vous faisais ça.

— C'est toi qui mourais, quand même…

— Justement, moi je mourais, je partais, je vous abandonnais.

— T'allais mourir un jour, de toute façon.

— Oui, mais j'aurai jamais connu tes enfants, Josée, fais pas comme si ça te dérangeait pas. Je suis parti de bonne heure.

— J'en ai pas d'enfants. Pas encore.

— Pas encore.

— Comment ça «pas encore»? Je vais en avoir combien?

— Je sais pas.

— T'as dit «pas encore».

— Je faisais juste répéter, pour montrer que c'est pas que t'as pas d'enfants, c'est juste que t'en as pas encore.

— Ça veut dire que tu sais que je vais en avoir?

— Ben non, pourquoi je saurais ça?

— Ben je sais pas, t'es mort...

— Et?

— Ben tu devrais avoir accès à des informations spéciales, me semble.

— Je suis juste un mort ordinaire, ma belle. On est des milliards comme moi en haut. Depuis que le pape a fermé les limbes, ça refoule de partout. Désolé.

— C'est correct.

— Ta pauvre mère, que je laissais toute seule, déjà. Avoir eu tant de monde dans la maison pis tout à coup tomber toute seule. Mais bon, on recommencera pas avec ça. Va te coucher, prends de l'avance. Je vais aller faire des mots croisés dans le salon.

Il passe à côté de moi en laissant l'une de ses mains traîner dans mes cheveux. Elle est réelle, mes cheveux bougent, même si je sais bien que mon père est un pur produit de la vis, une somme d'idées tant barattées qu'elles ont fini par prendre corps pour devenir supportables. Le cerveau est débrouillard.

Le répondeur à l'obsolescence non programmée a des fibrillations inquiétantes. En plus d'avoir eu à vivre, comme chaque jour, le stress de la disparition imminente de sa race, il a manqué de bande aujourd'hui. Je passe rapidement: Philippe, ma mère, re-Philippe, ma collègue voisine de bureau: «Ah, bonjour, c'est moi, Lise, du collège, je voulais parler à Josée... bon, ben, bonjour Josée, je sais que t'es malade ou quelque chose comme ça je voulais pas te déranger ça me regarde pas de toute façon je comprends ça des fois c'est comme ça une mauvaise passe ou rien des fois c'est rien mais en même temps on est plus capable c'est comme ça je comprends ça mais inquiète-toi pas c'est ben beau pour ton cours même si on n'avait pas encore eu le go pour le remplacement j'ai fait faire ton atelier sur le surréalisme que t'avais laissé à deux de tes groupes je vois le troisième demain une chance qu'on n'avait pas le même horaire c'est super ça marche bien y aiment beaucoup Prévert j'ai fait "La grasse matinée" c'est étonnant comme ça les a touchés surtout avec le café-crème café-crime y ont compris le cycle de la misère c'était beau d'entendre ça c'est pas comme mon neveu le fils de mon beau-frère lui y comprend pas… » Fin du ruban. Je ne sais pas combien de temps Lise a continué son discours dans le vide. C'est mon premier coup de téléphone professionnel depuis ma dernière entrevue, quinze ans plus tôt. Ma boîte de courriels doit être saturée.

En trois jours, c'est la toute première pensée que j'ai pour mon ordinateur. J'ai probablement manqué une révolution, quelques coups d'État et de nombreux scandales économiques. Peut-être la mort d'un grand penseur, aussi, mentionnée en entrefilet quelque part. J'essaie de me faire une idée du nombre de courriels qui doivent engorger mes trois boîtes, en arrondissant à la centaine près. Je devrais probablement être angoissée à l'idée de toutes les non-réponses que je lance dans l'Univers par mon silence. Probablement.

Deux heures trente-trois minutes plus tard, réveillée par le fracas de *L'île du jour d'avant* sur le plancher – il ne supporte plus la torture de l'incessante relecture, alors il essaie d'en finir –, je constate que Philippe dort profondément à mes côtés, sans ronfler, sans bouger, reclus dans une galerie souterraine particulièrement éloignée de la surface, là où moi je suis prisonnière. À l'idée qu'il va probablement filer comme ça jusqu'au matin, sans autre embarras, j'ai une pulsion meurtrière qui remonte, suit la fibre musculaire de mes pieds jusqu'à mes doigts. Je place mes mains à quelques pouces de son cou et j'essore dans le vide pour visualiser son égorgement, comme s'il n'était qu'une grande serviette trempée. Même avec beaucoup d'entraînement, l'idée de le tuer réellement m'apparaît trop risquée. Alors je me pointe à la cuisine avec le tas de copies séchées empilées plus tôt. Certaines ont la texture du papyrus – du moins la texture que je suppose au papyrus –, d'autres se sont gonflées en séchant, révélant le grain de la pâte à papier, un peu comme du papier Saint-Gilles.

J'y vais dans le désordre, sans regarder les noms, pour échapper, pour autant que ce soit possible, à l'effet pygmalion, aux jugements préconçus. Je saute à pieds joints dans les pensées de mes élèves, bien décidée à faire fondre la pile de quelques pouces. Et à couper l'herbe sous le pied de la vis qui menace de s'emballer.

En fin de comte, Christian est un peu con parce que Roxane l'aimait, même si s'était à cause que Cyrano écrivait les lettres et aussi parce qu'il s'arrange pour se faire tué plutôt que d'en profiter. Mais on savait d'avance qu'il était cave puisqu'il n'était pas capable de parler comme du monde et que Cyrano devait toute lui dire, comme dans la scène du balcon (voir dans la pièce, au milieu dans mon livre) quant il est vraiment «looser». En conclusion, il est un peut imbècile mais quand même romantique, dans le sens propre du terme, parce qu'il meurt quand même d'amour au fond parce que si il aurait été à l'hôpital plutôt que chez Roxane, il serait pas mort.

Jelly Belly! Les savants de ce monde sont parvenus, guidés par le besoin d'un certain monde à préserver, à synthétiser des saveurs naturelles dans de petites gélules parfaitement artificielles. Ainsi, dans l'inconfort de ma cuisine, je peux savourer toute l'année des fragments de poires juteuses qui imitent parfaitement la saveur du fruit. Pour moi, c'est un gage d'avenir : si le monde venait à se déglinguer complètement, voyant toutes ses merveilles balayées dans un grand déluge surconsommationnel, on pourrait encore, dans l'inconfort de nos vaisseaux spatiaux, déguster des poires juteuses grosses comme des pichenottes. J'ai déjà essayé d'expliquer à Marie que ce sont les mêmes qui travaillent aux bols de toilettes en sucre.

Faudra que je m'occupe de cette copie un peu plus tard. Je pige à nouveau en me croisant les doigts.

« Depuis que le monde est monde, les hommes et les femmes s'aiment…

Je me rends compte que j'ai oublié d'imposer un style de police. Je pige encore.

```
    Cyrano est d'une certaine façon
un homme lâche, puisqu'il préfère
l'amour pur et illusoire - celui
qu'il a créé lui-même de toutes
pièces - à la vraie vie qui n'au-
rait pu lui apporter que des désen-
chantements. [...] Et que dire de sa
révélation finale où il condamne
Roxane à regretter toutes ces
années où elle a pleuré le mauvais
homme, transformant du coup son
```

deuil en une triste farce, trop aveugle qu'elle était pour voir tout ce temps ce qui lui apparaît soudain comme une cruelle évidence, maintenant que la mort fait tomber le masque de cette illusion. Cyrano est à la fois lâche et complaisant, puisqu'il a préféré continuer de vivre dans la perfection de l'émoi qu'avaient causé ses mots plutôt que de subir les reproches de sa tromperie, comme l'artiste qui aurait choisi de cesser de peindre pour se contenter de relire sans cesse l'éloge fait un jour de l'une de ses œuvres.

Il y a des copies délicieuses qu'on lit d'abord du bout des doigts, parce qu'on aurait bien aimé les avoir écrites. Mais c'est une jalousie éphémère qui ne résiste pas à l'émerveillement qu'elles procurent, un bonheur presque égoïste. Car, au fond, l'appréciation de l'intelligence des élèves procède d'une forme légère de narcissisme : secrètement, sous le couvert d'une fierté toute légitime, on s'autorise à penser que c'est un peu de nos lumières qu'ils brillent, ces élèves. On voudrait bien se croire même un peu responsables du raffinement et de la liberté qu'ont pris leurs pensées. Comme les parents qui finissent par voir, dans la courbe élégante du nez de leur enfant, le reflet de leur propre beauté. Et qui finissent par se croire, oubliant qu'il ne s'agit pas d'eux, beaux.

J'ai relu la copie une deuxième fois, pour le plaisir de me laisser dérouter sans lui chercher des poux, avant de m'endormir sur la table, dans l'indigeste position pliée.

Dans mes rêves, pas d'extraterrestres, seulement des tables pleines de clients qui attendent patiemment que je les serve. Les réchauds, qui courent sur des kilomètres, sont bondés de pizzas et de lasagnes que je dois transporter dans de gros plateaux trop lourds; mon dos plie dès que je les soulève et toute ma cargaison s'écrase en une galette bouillonnante sur le gazon. Pourtant, c'est une belle journée sur les plaines d'Abraham. Ça gazouille de rires d'enfants partout. Mon corps se transforme en cire chaude dès que j'essaie de soulever une assiette. Face à moi, sur le mur d'enceinte de la Citadelle, ma petite grenouille vient de se pointer, mais elle a une tête de hamburger. Elle traverse les plaines et saute d'un bond prodigieux dans le fleuve. Comme je viens encore de laisser tomber ma torpille qui gît au sol dans un mélange de pissenlits sauce tomate et que je sens qu'il n'y a rien d'autre à faire, je me mets à courir dans sa direction avec une vague envie de la sauver; je m'inquiète de ce qu'elle fera avec une tête en pain trempé dans un fleuve patrouillé par des bataillons de goélands.

J'ouvre les yeux sur Trois qui me regarde, posément installé sur le garde-fou de l'escalier de mon balcon arrière. Je ne sais pas trop ce qu'il attend, je ne lui ai jamais fait de bien. Les chats sont des bêtes optimistes, patientes. Ses oreilles détectent tout à coup un bruit qui le fait déguerpir. Me parviennent au même moment les couinements blancs du chariot de Joseph. J'ai manqué le livreur, pas de traversée du fjord aujourd'hui.

En-route-Jim sort avec sa démangeaison de doigts habituelle. Et, comme toujours, il ne porte rien d'autre que ses vêtements. Il a seulement l'air de se chercher un cheval, ou un méchant à tuer. Il s'arrête trois secondes, jette un regard à la ronde, crache par terre et marche vers cet endroit inconnu qui l'appelle chaque jour à la même heure et le libère chaque soir dans le même état. Il se met en route, Jim. Aujourd'hui, j'ai décidé qu'il s'en allait au service de garde de l'école du coin, amuser des petits morveux qui ne jouent probablement plus aux cow-boys et aux Indiens.

Le sac de Jelly Belly est éviscéré sur la table. Les quelques fèves aux saveurs moins prometteuses – popcorn au beurre, maïs au caramel, root beer – semblent perdues dans l'emballage devenu trop grand. Éparpillées sur le reste de la table, dans un semi-désordre, les copies cachent mon livre de nuit dans lequel je fais le constat que je n'ai réussi qu'à dormir trois heures quarante-quatre minutes en deux coups. Il ne me vient aucune pensée encourageante.

J'entre dans la chambre, ramasse mes vêtements roulés en boule au pied du lit et sors en trombe. Philippe dort comme un mort, macérant dans la sueur rance de son propre corps. Je n'arrive pas à bien distinguer ce qui, de sa présence ou de son sommeil monocoque, m'angoisse autant. Un fin mélange des deux, je crois.

Trop tard, il n'y a plus qu'un point blanc sur le trottoir au loin. J'aurais aimé savoir d'où sortent ces objets bizarres que Marco m'a montrés.

4

J'accueille Philippe à la cuisine en essayant d'être belle. En essayant de me croire belle. Je pose les questions d'usage, sers le café, sors la marmelade de sa mère en souhaitant qu'il confonde son bonheur d'en manger et celui de me voir. L'attachement de Philippe pour tout ce que sa mère cuisine et met en pot Mason est troublant ; l'indifférence avec laquelle il peut foutre tout le reste à la poubelle – même le six-pâtes ! – l'est tout autant.

— T'oublies pas pour ce soir ?

— Ce soir…

— La pièce.

Je tourne la tête par petits coups pour faire bouger mes cheveux et leur donner une illusion de corps.

— Quelle pièce ?

— Shakespeare.

— Encore ?

— Comment ça, encore ?

— Y jouent pas des nouvelles affaires, des fois ?

— C'est toujours nouveau, Shakespeare. Les amours impossibles…

Je me place dans la lumière et j'ouvre grand les yeux pour qu'ils deviennent plus bleus, plus pâles. J'humecte mes lèvres pour imiter le gloss. S'il levait les yeux, maintenant, ce serait parfait. Je frappe du doigt le comptoir pour attirer son attention.

— Si Caro voulait y aller, ça me ferait plaisir d'y laisser ma place.

— Caro est à Vancouver depuis un mois.

Toc… toc… toc… TOC… TOC…

— Ah oui, j'oubliais.

— Les critiques sont bonnes.

— T'as dit ça la dernière fois aussi, pis j'ai dormi tout le long.

— Non, mais là, quand même, Shakespeare…

— Faudrait que tu vides la boîte vocale.

S'il continue de ne pas me regarder, il va tout manquer.

— J'ai un demi-million dans mon compte de banque.

La colonne vertébrale du journal fléchit, le papier cendre s'écrase mollement sur la table. Il me regarde, enfin. L'interrogation s'est taillé des plis profonds dans son front et ses joues. Mais il m'observe sans voir que je suis belle, sans même me voir, en fait, trop occupé à mesurer l'existence possible du demi-million dans *nos* vies. C'est si triste que je me retourne sans rien ajouter. Je ferme les yeux et vois monter, sur l'écran de mes paupières, les flammes d'un bel autodafé de revues de merde.

Pas de million, pas de pièce de théâtre, pas de génération spontanée de beauté, seulement un petit voile gris sur mon bonheur beige aux coins racornis.

Mais je suis résiliente. De cet insuccès annoncé je tire ce qu'il me faut d'allant pour me lancer dans le classement des dossiers qui, même si j'essaie de me convaincre du contraire, me pèsent sur la conscience.

J'entreprends donc d'alléger mes boîtes de courriels en expédiant à la poubelle électronique la très grande majorité des messages qu'elles contiennent. Le tri est facile.

D'abord, je ne réponds jamais aux courriels qui se présentent sans formule d'introduction et sans signature.

```
??????????
87965@ccmtq. ca
ENVOYÉ: mar. 2011-03-29 9:12
À: JoGingras@ccmtq.ca

je peux-tu faire juste deux
paragrafe dans ma dissertation
```

J'élimine sans hésiter les messages insultants.

```
Absence au cours d'hier
88912@ccmtq. ca
ENVOYÉ: mer. 2011-03-30 17:56
À: JoGingras@ccmtq.ca

Bonjour madame,
Avez-vous fait quelque chose
d'important hier au cours? Si
oui, dites-le-moi pour que je
puisse aller vous voir pour que
vous m'expliquiez quoi. Si non,
bonne journée!
Joanhye
```

Je freine, en quelques mots vite expédiés, les trop pressés.

Question importante et urgente à propos du travail
89543@ccmtq. ca
ENVOYÉ : je. 2011-03-31 7:00
À : JoGingras@ccmtq.ca

Mme Gingras,
J'ai déposé mon travail dans votre pigeonnier lundi matin le 28 mars (à 7h33) et je vois que les notes ne sont toujours pas entrées dans le système Omnivox (nous sommes jeudi). Pourriez-vous me confirmer que vous avez bien reçu mon travail.
Désolée de vous déranger pendant votre congé de maladie, mais je suis vraiment inquiète. Je peux fournir la preuve que je l'ai bel et bien remis ce lundi.
Marie-Soleil La Haye (groupe du mardi matin 10 h et du jeudi après-midi 16 h)

Je rassure en une tournure simple quelques élèves inquiets qui se demandent si, madame, pour l'examen, vous savez, les notes, la reprise, la correction, comment allez-vous, le rendez-vous, je comprends rien, etc. J'invite ensuite les grands malchanceux de ce monde...

Je m'excuse madame mais…
87447@ccmtq. ca
ENVOYÉ : mer. 2011-03-30 22:49
À : JoGingras@ccmtq.ca

Bonjour madame Bigras,
Je sais que ce sera difficile
à croire, mais je voulais venir
vous mener ma dissertation
mardi matin vraiment très
tôt même si j'étais déjà en
retard d'une journée, mais là,
comme je voulais l'imprimer,
mon imprimante n'avait plus
d'encre. Alors j'ai demandé
à ma mère de venir me mener
au collège pour que je puisse
l'imprimer à la bibliothèque,
mais j'avais oublié de m'amener
de l'argent pour payer les
copies. Hier, je suis donc
revenue à la bibliothèque avec
de l'argent, mais mon fichier
n'était plus sur ma clef USB,
comme si quelque chose l'avait
effacé (y paraît que ça arrive
à cause des démagnétiseurs des
magasins et comme je travaille
dans un magasin de linge, j'ai
pensé que c'était ça). Mais ce
n'était pas ça, parce que le
fichier n'était plus non plus

dans mon ordinateur. Je sais
que ma sœur fait toutes sortes
d'affaires quand je ne suis pas
là dans mon ordinateur, mais
là j'étais vraiment choquée.
En plus, ma grand-mère vient
de rentrer à l'hôpital pour
une crise cardiaque. Bref, je
suis vraiment déconcentrée et
je me demandais si vous pouviez
me donner un peu de temps pour
faire la dissertation parce que
je veux vraiment réussir dans
la vie et que je ne peux pas
couler ce cours, sinon je vais
être renvoyée du collège parce
qu'il m'est arrivé des badlucks
en début de session et que j'ai
coulé solide plusieurs examens
et que si je coule ce cours-là
de français, on va me mettre sur
le code 33 et ça va vraiment
être le bordel. En plus, c'est
la troisième fois que je fais le
cours.
Vous pouvez me répondre n'importe
quand, je dors avec mon cell
allumé. Pas celui que je me suis
fait voler, un autre.
Merci beaucoup madame.

Heidi Lee-Gagnon

... à venir me voir lundi, en souhaitant que, d'ici là, ils aient le temps de peaufiner leur histoire, d'en éprouver les failles.

Se dissolvent aussi dans le néant internétique les courriels publicitaires, les invitations à visionner des clips YouTube insignifiants ou brillants, les signatures de pétitions, les relevés de comptes presque vides, les courriels administratifs, les convocations à des réunions, les importants avertissements de coupures de courant entre 1 h et 2 h du matin pendant la fin de semaine au collège, etc., si bien qu'en une petite demi-heure vite passée, j'ai réglé le sort des cent trente-quatre courriels reçus. En cette ère de surcommunication chronophage, il faut être intraitable.

Et pour la fin, puisqu'il était intitulé « Merci ! » je me suis gardé celui de Kevin, l'impertinent au téléphone. Il est complètement ravi de son nouveau téléphone. Ma crisette tombait pile-poil avec la sortie du nouveau iPhone 23 qu'il a pu se procurer grâce à mon généreux chèque. Ah oui, il a très hâte de me le montrer. Voilà, l'aventure lui aura appris qu'un bon pétage de plombs peut éclipser toutes les impolitesses.

La musique qui monte de chez Margot m'attire dans la cage d'escalier. Cette femme et son univers appartiennent à un autre espace-temps, dans une bulle oubliée. Discrètement, je me glisse sur le pas de sa porte, café à la main, pour un petit concert gratuit. Les notes fuyantes courent sous ses doigts, insaisissables. Si j'avais cinq ans, je tournoierais, les bras levés, jusqu'à l'étourdivomissement. Les minuscules fragments de verre brisé qui s'abattent sur la porte laissent soudainement place à une lente mélopée, chargée d'une douleur contenue qui raconte une tout autre histoire. J'appuie ma tête contre la porte, attirée par la beauté triste du morceau. La musique, comme le citron qu'on épluche, nous découvre toujours des blessures oubliées, parfois inconnues, des petites plaies invisibles qu'une note rend criantes. Alors je souffre un peu, au rythme de la mélodie avant de sombrer dans le sommeil.

Tout mon corps bascule, ralenti par le frottement de mon front sur la porte râpeuse qui trace une courbe parfaite avant de toucher le tapis de l'entrée.

— Ah, t'es là!

— Aïe! Excusez-moi. Je suis vraiment déso…

— As-tu vu ton père dans le coin?

— … eeeee… non. Je suis votre voisine, Josée. Excusez-moi, je voulais juste…

— Y est pas revenu?

— Qui ça?

— Ton père.

— Eeeee… non.

— C'est pas grave. Tu iras me chercher ton frère tantôt.

— …

— Viens t'asseoir deux minutes, tu dois être fatiguée. Les chemins doivent pas être ben beaux à matin avec le crachin qui lâche pas.

Sur mon pantalon de yoga, mon café tiède fait son chemin, s'immisçant secrètement dans le filigrane noir savamment composé de nylon et d'élasthane. Pour l'instant, elle veut que j'aille m'asseoir. Son assurance me désarme, je me lève. À la quantité de café qu'il y avait dans ma tasse, j'évalue que la lave brune devrait stopper sa course sur mon mollet, que j'ai bien rebondi comme un petit barrage.

— Donne-moi un coup de main pour les patates, ça va te délasser. Faudrait que je finisse ça avant de descendre au village.

Sans plus protester que pour l'ordre précédent, j'empoigne l'économe qu'elle me tend et prends place à côté d'elle dans un fauteuil rembourré aux bras sculptés ; des jardins de fleurs compliquées ont été gravés dans le bois sur lequel j'ose à peine poser mes coudes. L'instrument qu'elle m'a tendu n'est en réalité qu'un petit couteau ordinaire, sans qualité apparente, du moins évidente. Je le tourne dans tous les sens dans l'espoir que sa fonction d'éplucheur performant se révèle d'elle-même. Mais comme l'objet s'obstine à ne demeurer qu'un simple couteau, malgré les pressions que j'exerce sur les moindres aspérités du manche, Margot se lève sans un mot, se glisse derrière moi et m'enveloppe de ses menus bras.

— T'as jamais été ben habile avec ça, toi.

Ses mains glissent doucement sur les miennes pour leur commander de se refermer sur la pomme de terre et le couteau. Et par un étrange mouvement coordonné du pouce et de l'index, la lame s'enfonce légèrement dans la peau, suit une ligne imaginaire tracée vers l'intérieur de la main où l'index, promptement, donne un petit coup sec pour faire sauter un copeau de pelure qui tombe sur le papier journal dont est recouverte la table. Le reste de la main, instinctivement, s'empresse de faire pivoter le légume pour ramener sous la lame une nouvelle bande terreuse à soulever. De cette façon, ses mains osseuses recouvertes de papier de riz fondues aux miennes, roses et potelées, libèrent la chair de la pomme de terre en l'espace d'un couplet d'« Isabeau s'y promène » qu'elle me chantonne à l'oreille. J'ai à peine cinq ans.

Puis elle vient se rasseoir avec des gestes saccadés, étonnée de la raideur de son propre corps. Pour chasser le trouble qui l'assaille, elle reprend sa chanson. Isabeau se promène sur le bord du jardin, de l'île, du vaisseau, inlassablement. De sa bouche flétrie sort une mélodie fluide, des mots qui échappent à la sécheresse des lèvres. Comme je ne sais plus très bien où elle en est dans sa tête, je me concentre sur les pommes de terre qu'il faut éplucher et qui me demandent une juste combinaison de motricité fine et de coordination. À en juger par les dix kilos éventrés au bout de la table et par le grand bol d'eau déjà rempli de pommes de terre nues, on attend du monde, quelque chose comme un régiment de l'armée canadienne.

— Mais qu'est-ce qu'y fait ton père, donc, depuis le temps qu'y est parti?

— (Dis-lui que je fais des mots croisés.)

— (Papa, retourne en haut, s'il te plaît.)

— (Je remonte pas tout de suite, je sors faire un petit tour avant.)

— (Ben, va faire ton tour.)

— (J'aurais pas aimé ça, une maladie de même, moi, oh boy!)

— (Papa…)

— (Ben oui, je m'en vais. C'est une belle femme quand même…)

Elle reprend son travail avec des gestes moins assurés, se tourne vers la fenêtre et s'arrête au reflet que lui renvoie la vitre. Pendant de longues secondes. Elle comprend peut-être, pour la millième fois, que son mari ne reviendra pas. Sa main, si ferme l'instant d'avant, ne sait plus comment tenir le couteau et s'ouvre comme un ressort détendu, fatigué. Sous le demi-siècle qui vient de rappliquer de tout son poids, ses épaules se voûtent. Ses yeux, mus par les spasmes de sa mémoire court-circuitée, se mettent à chercher dans le décor une improbable bouée. Quand elle tombe sur moi, son œil bleu-gris finit de s'éteindre.

— Ma belle enfant…

C'est ce que je suis pour elle, peu importe l'histoire.

— Oui?

— Je sais pas t'es qui.

— Josée.

— Josée qui?

— Gingras.

— Ça me dit rien. T'es ma fille?

— Non.

— Excuse-moi, ma belle, tu dois ressembler à une de mes filles. Si j'ai des filles.

Elle jette un œil furtif sur les cadres qui tiennent en équilibre sur le piano. Elle y est dans toutes sortes de décors, quelquefois très chic, parfois méconnaissable, entourée d'hommes et de femmes de tous âges. Je ne risque aucune question.

— T'es ben fine d'être venue. Mais là, je suis fatiguée. Tu m'excuseras, je vais aller m'allonger un peu. Dis bonjour à tout le monde pour moi.

— Oui, promis.

Elle se lève et trottine de pièce en pièce pour trouver sa chambre. Sur le mur à côté de moi, il y a des dizaines d'assiettes décoratives suspendues sur des tringles métalliques. Certaines sont peintes de couleurs criardes, de palmiers et de monuments célèbres, d'autres sont très sobres, cerclées d'or ou d'argent. Au centre de toutes les tables trônent des napperons de dentelle et des chemins de table minutieusement crochetés. Partout cette irrégularité des choses faites à la main qui prennent du temps à fabriquer, à coudre, à assembler. Un monde impossible aujourd'hui: nos désirs sont peu patients, nos besoins, insatiables. Les mains n'y arriveraient plus, même s'il nous en poussait tout à coup plusieurs paires. J'imagine, dans le ventre du vieux secrétaire adossé au mur, à ma droite, du papier à lettres et des stylos à plume, la lenteur des mots qu'on trace sur la feuille avec le souci de faire joli, la délicatesse des salutations empesées et des souhaits sincères. Des vestiges d'un temps bien révolu.

Je roule les journaux couverts de pelures de pommes de terre et les fous à la poubelle. Dans le grand bol d'eau, je laisse quelques pommes de terre et kidnappe les autres, autant pour ne pas qu'elles se perdent que pour effacer les signes de la préparation d'un repas de famille qui n'aura de toute évidence pas lieu. Mais comme je n'ai pas de sac pour les transporter, je les assemble sur le chandail noué à ma taille que je transforme en baluchon. La fibre du tissu performant travaille fort pour maintenir, sans trop de succès, la taille initiale du chandail. Je laisse une note sur la table : « Merci pour les patates. Josée »

Dans mon évier de salle de bain flottent mes vêtements de fausse sportive dans un jus café-amidon. Les pommes de terre partagent l'espace de la table de cuisine avec le journal de mon père.

— C'est quoi, ça ?

— Des patates.

— Y les vendent déjà épluchées astheure, comme les petites carottes ?

— Ben oui, c'est pratique, on sauve du temps.

— Ça te ferait une belle activité de nuit, éplucher des patates.

Ses poumons s'emballent d'un grand rire ferrailleux.

Drelin drelin. Sûrement ma mère, cette femme qui a encore toute sa tête et qui me veut tant de bien.

— Salut, ma grosse !

— Salut, maman.

— Comment ça va ?

— Ça va bien.

— Qu'est-ce que tu fais chez vous à cette heure-là ?

— Je me cherchais quelque chose à cuisiner avec sept-huit livres de patates.

— Comment ça, sept-huit livres de patates?

— Parce que.

— T'as épluché ça cette nuit?

— Genre.

— T'es pas encore allée voir l'ostéopathe que je t'ai recommandé?

— J'ai pas mal au dos, maman.

— C'est pas des ramancheurs, les ostéopathes.

— Peu importe, c'est pas mon genre.

— Je sais, ma belle, mais faut que tu te fasses aider.

— Maman...

— OK. Gratin dauphinois pour une grosse famille d'affamés. Garde-toi une couple de patates pour faire des bonbons aux patates.

— Han! des bonbons aux patates! Je me rappelle plus comment on fait.

— Non? Avec le sucre en poudre pis le beurre de pinotte?

— Ah oui! c'est beau.

— Tu sers ça avec un rôti français pis un petit légume vert, n'importe lequel, ça te fait un bon souper qui fait des beaux restes pour les lunchs.

— OK, merci.

— Veux-tu que j'aille te donner un coup de main?

— Non, non, merci.

De ma mère, question cuisine, il faut se contenter des idées.

— J'aurais un bon livre à te prêter.

— Je vais aller sur Internet pour la recette.

— C'est pas un livre de cuisine, une autre sorte de livre. C'est dans les meilleurs vendeurs depuis des mois.

— Ah.

— *Le bonheur, oui je le veux!*

— Ouach, un livre sur le mariage?

— Mais non, sur le bonheur, comment te marier au bonheur. C'est tellement plein de bons trucs là-dedans.

— Pfff…

— Première règle: apprendre à relativiser ce qui nous arrive, même quand c'est dur. Moi, ça m'aide.

— Maman…

— Par exemple, si t'as mal quelque part, il faut que t'essaies de penser à ceux qui souffrent d'un mal un peu pareil, mais beaucoup plus grave…

— Faut que je te laisse, maman.

— J'aimerais tellement ça que tu ailles bien.

— Mais je vais bien!

— Que tu ailles mieux, d'abord.

— Je sais, maman. Inquiète-toi pas, ça va.

— OK. Le rôti français est en spécial chez IGA cette semaine.

Dans le bureau de l'ostéopathe, trop propre, trop tranquille, je jette un regard désapprobateur aux revues. Je n'ai pas à m'organiser pour survivre à l'attente, je suis la seule ici. Le patient suivant, s'il ne se pointe pas trop d'avance, arrivera pendant que je me ferai pétrir. Le patient suivant le suivant arrivera pendant que celui-ci se fera tripoter, et ainsi de suite de 9 h à 16 h toute la semaine dans un chassé-croisé où les patients arriveront, sans même le vouloir, à s'éviter. J'utilise donc les dix minutes qu'il me reste pour formuler des hypothèses sur la présence de la quinzaine de sièges grand luxe qui meublent la salle d'attente et sur le sens qu'on peut donner aux grands splashs texturés post-postmodernes qui couvrent les murs.

C'est un homme de petite taille, plutôt trapu, qui m'accueille avec une poigne de fer. Sûrement l'habitude de toucher, de soigner avec ses mains. Il est tout en moustache, comme dans les années soixante-dix, mais je ne peux plus reculer, son bras en m'effleurant me balaie vers l'intérieur du bureau.

— Bien sûr que je peux vous aider, faut juste avoir confiance.

— OK.

— Je veux tout d'abord voir dans quel état vous êtes. Faut que je comprenne l'équilibre de votre corps. Ça vous va ?

— Eeeee… oui.

— Ayez confiance. Étendez-vous ici.

— Sur le ventre ?

— Non, sur le dos pour commencer.

Je me couche sur la chaise longue étrangement rembourrée trouée et je ferme les yeux. Maintenant que j'y suis, je ne vais pas résister. Molle, molle, je suis molle, je m'abandonne, je veux qu'on m'aide, l'ostéopathie peut tout pour moi, ma mère le sait et me veut du bien, cet homme me veut du bien, je suis bien. Au fond, il n'y a peut-être qu'un bouton à presser, un nerf coincé quelque part. Et même si je ne suis pas bien, que j'étouffe et que j'ai très envie d'être à des années-lumière de là, je m'interdis de relativiser en pensant aux gens ensevelis vivants sous les décombres d'un tremblement de terre. Le petit ostéopathe qui s'apprête à changer ma vie m'attrape la tête à deux mains, la soulève, essaie de l'arracher, très doucement, la repose quand il sent qu'elle ne cédera pas. Il refait la même chose avec certains de mes membres qui lui opposent le même désir de demeurer attachés. Au fond, je suis bonne pour eux, je ne leur impose aucun sport exténuant, pourquoi partir ? Ses mains se posent à la fois sur mon front et mon ventre, hésitent, vont et viennent ainsi en s'éloignant et se rapprochant comme d'habiles danseuses. Elles planent à quelques centimètres de ma peau pour lire ce qui se passe à l'intérieur.

— Oh là là! c'est le grand bazar là-dedans. Y était temps que vous veniez me voir.

— Ah oui?

— Vraiment temps.

— Qu'est-ce qui marche pas?

— Un peu tout.

— Tout?

— Oui, on peut dire ça. Les tensions pis les nœuds sont tellement nombreux que les parties de votre corps pas directement affectées compensent pour le reste. Vous avez des foyers de tension qui ont irradié la douleur dans tout le corps.

Comme ses lèvres poilues ne laissent pas voir ses dents quand il parle, on dirait qu'il est ventriloque.

— Mais j'ai mal nulle part, j'arrive juste pas à dormir.

— Je pense qu'on est mieux de se mettre au travail tout de suite. On n'est pas sortis du bois. Vous pouvez enlever vos vêtements et les poser sur votre chaise.

— Ah?

— Y a des crochets derrière si vous préférez ne pas les plier.

— OK. Tout tout ou je garde…

— Vos sous-vêtements. Gardez vos sous-vêtements.

— Les bas?

— Allez-y pour le confort.

Mon soutien-gorge est blanc, avec un détail en dentelle bleue sur les bretelles et dans la partie arrondie du bonnet; mes bobettes, noires et défraichies. Le mot « confort » m'apparaît inapproprié pour parler du choix de porter ou non des bas dans la circonstance.

— J'avais pas prévu ça. Désolée, c'est dépareillé.

— Je regarde pas ça, inquiétez-vous pas. Vous allez maintenant marcher devant moi pour que je puisse analyser votre posture, voir comment ces tensions-là affectent votre structure générale. Marchez naturellement.

Toutes les tensions diagnostiquées, si elles n'étaient pas réelles à mon arrivée, naissent sous mon pas, «naturellement», pendant ma petite parade d'outrage à la mode. Je me sens si bien. J'atteins le bout de la passerelle imaginaire avec un angle de 45 degrés, complètement crispée. Le thérapeute est très satisfait; peu importe ce qu'il me fera, mon état ne peut maintenant que s'améliorer.

— Oui, c'est parfait. Bon, je vois: votre centre d'équilibre est complètement déphasé. Ça en dit long, un décalage comme ça.

Accablée par la découverte instantanée d'un si grand nombre de dysfonctions de mon corps, je ne trouve plus rien à dire ou à demander. Je me sens en danger. Si je reste encore ici un moment, je vais finir par apprendre des choses très graves.

— Donnez-moi une seconde, faut que j'aille aux toilettes. C'est par où? Merci.

Je ne peux pas. Après avoir remis mes vêtements, je griffonne à la hâte un chèque que je lance sur le bureau de la secrétaire en sortant. Et comme une jeune première qui vient de manquer sa réplique, je fuis l'endroit en courant pour échapper à l'annonce de ma mort prochaine. Le patient suivant s'interroge sur la pertinence des quinze chaises quand je traverse la salle d'attente en courant. Et en souriant, pour ne pas lui faire peur.

Le stress de l'ostéopathie m'a complètement épuisée. Dans la file d'attente du IGA à la caisse des moins de huit articles, je m'endors en serrant dans mes bras un beau

morceau de chair animale sanguinolente sanglé fermement et appelé rôti français en spécial. C'est précieux, être
en spécial.

Je suis dans les souterrains de l'université, en route vers
le PEPS. Je viens de tourner le coin en sortant du pavillon
De Koninck, il ne me reste plus qu'à marcher jusqu'au
bout pour rejoindre le centre sportif. À quelques reprises,
je dois me ranger sur le côté pour laisser passer les voitu-
rettes d'employés qui foncent à toute allure. L'une d'elles
est conduite par le petit ostéopathe. L'écho se répercute des
parois du tube de béton jusqu'à mes tendons d'Achille, les
premiers touchés en cas d'accident. Je tiens sur mon épaule
droite, en position bancale, une immense torpille pleine de
pizzas. Dès que la porte d'entrée est en vue, elle devient
impossible à soutenir ; mon corps plie vers l'arrière et les
pizzas font tour à tour un plongeon graisseux sur le béton.
Je me mets à courir, arc-boutée comme une chandelle trop
chaude, sans pouvoir en sauver une seule. Derrière moi, le
sol est parcouru d'une traînée fumante à la sauce tomate.

Je suis réveillée par une cliente qui me pousse le coude
avec un pain moelleux qui garde un instant la forme de
mon pointu de bras. C'est un pain vraiment très frais. Je
dois avancer, semble-t-il. Je serais volontiers restée là, à me
laisser caresser le coude, la tête dans le vide, mais je dois
aller cuisiner la jolie bête morte que j'ai dans les bras. Et
Joseph m'attend.

— On va à la cabane demain.
— Avec l'école ?
— Non, avec mon père.
— Ah, la fameuse cabane…
— Oui.
— T'as pas d'école ?

— Ouin, mais y fait chaud.

— Pis ça fait quoi, ça?

— Ben les chaudières débordent, faut aller aider les autres à ramasser.

— Ah! C'est une cabane à sucre!

— Oui.

— C'est qui ça, les autres?

— Tout le monde de ma famille.

— Vous allez là toute la famille ensemble, un vendredi d'école?

— Ben oui, mais eux autres y restent là.

— À la cabane?

— Oui.

— Pour le souper?

— Pour tout le temps.

— À la cabane à sucre?

— Ben oui. Y restent là, c'est pour ça.

— OK. Bon…

— Tu peux venir si tu veux. C'est mon père qui a dit ça, que tu peux venir.

Mon esprit, bien que ressuscité par une turbosieste, n'arrive pas à joindre dans une même histoire l'équarrissage de Trois à la moissonneuse-batteuse, qui vient de la cabane, et l'idée que je me fais d'une cabane à sucre.

— Tu viens-tu?

— Je vais essayer de parler à ton père tantôt.

— Je sais pas à quelle heure y va revenir.

— C'est madame Nadeau qui te garde?

— Ouin.

— Qu'est-ce que tu manges pour souper?

— Toujours des hot-dogs.

— Tous les jours?

— Ben non, toujours le jeudi.

— Aimes-tu les patates?

— Frites?

— Non, pas frites. Juste des patates.

— Ouin.

En redescendant, je laisse tout de même un plat de gratin devant chez Joseph, un format petite famille, mon grand plat à lasagne ne suffisant pas à contenir tout ce que j'avais rapporté de chez Margot. Trois, devant la porte, ouvre un minuscule croissant d'œil, convaincu qu'en jouant les endormis il pourra mieux me tromper. Ce chat n'a pas survécu pour rien, il a peut-être un ou deux neurones, finalement. J'aurais préféré seulement laisser le plat sur le pas de la porte, mais on veille au grain. Alors je toctonne fermement après avoir déposé mon chef-d'œuvre recouvert d'aluminium sur le tapis de l'entrée. J'entends la porte s'ouvrir comme je sors de l'immeuble. Tant pis pour Trois.

Les pâtes n'étaient pas encore dans l'eau. Le rôti-gratin-petit-légume-vert est accueilli avec bonheur. Mais il n'y aura pas de restes. J'ai choisi le plus beau rôti, pas forcément le plus gros. C'est en fait la régularité des tours de corde sur le corps de la bête qui m'a séduite. Attirés par l'odeur, les gars sortent de leur torpeur électronique l'un après l'autre et tombent sur le dessert que je leur ai, cette fois, vraiment préparé moi-même.

— Ouach! Trop cool, regarde ça, maman!

— Wow, des intestins!

— Ouach!

— Donne… non!

— Non mais attends…

— C'est moi qui l'avais…

Soulevé par le tutti de chichis qui semble pouvoir s'enfler sans fin, le plat de bonbons aux patates encore mous fait

des tonneaux dans les airs au-dessus d'une mêlée de sinis-
trés affamés. Il est très difficile de croire, en les regardant
s'entre-tuer pour manger entre deux repas, que ces êtres
humains normalement constitués pourraient survivre à
une famine d'environ quarante jours. Sans s'entre-dévorer.

— Ça suffit! Donnez-moi ça tout de suite. OK. Merci,
on dégage. Je veux plus vous voir pour les quinze pro-
chaines minutes.

Le plat plein de boyaux atterrit sur le comptoir
après avoir retrouvé l'équilibre dans les mains de Marie.
Certaines des pièces les plus fragiles se sont déroulées
pour révéler leur nappage intérieur aux arachides. Elles
ressemblent ainsi davantage à des couches pleines éven-
trées qu'à des boyaux.

— Qu'est-ce que tu leur as encore déniché?

— C'est juste des bonbons aux patates. Y me restait
des patates.

— Mon Dieu, bonne idée, je pense jamais à en faire.

— Y te reste sûrement jamais de patates pour en faire.

À l'index qu'elle lève en faisant un clin d'œil, elle
reconnaît que j'ai raison.

Léo entre le premier, Paul suit, un peu plus vieux
aujourd'hui. Mon frère va mourir un jour, ça m'arrive d'y
penser. Faudrait que je commence à m'y préparer même,
comme je l'ai fait déjà pour tant de catastrophes et de
morts possibles, pour tenter d'en apprivoiser l'horreur.
C'est d'ailleurs étrange que je ne me sois pas encore atta-
quée à cette éventualité.

En entrant, Léo stoppe sa course: il m'a vue, moi, la
tante habituellement invisible. Si on m'avait dit qu'il suffi-
sait d'assister à un cours de science naturelle aux toilettes
pour me gagner le cœur des enfants, j'aurais volontiers
posé plus souvent mon derrière en expansion sur le rebord

du bain. Je serais aujourd'hui beaucoup plus savante et j'occuperais dans leur vie un rôle plus enviable que celui de la matante bizarre qui apporte des bonbons dégueux.

— Salut, Tatie.

Il s'approche de moi en babounant, désillusionné par cette vie infernale qu'est la sienne.

— Salut, Léo. Ça va pas?

— C'est pinjuste!

Complètement imprégné d'émotions noires, il me joue la mimique pas-de-chance-j'ai-des-parents-cruels en s'approchant comme un condamné.

— J'ai même pas de Starwaze.

— De quoi?

— De Starwaze.

— Ah. Moi non plus.

— Léo, recommence pas avec ça, je veux plus en entendre parler.

Il s'en fout, de savoir que je n'en ai pas plus que lui, des cossins de Star Wars, ça ne change rien au fait que lui, Lui, il n'en a pas. C'est d'ailleurs un regard plein de fatalité qu'il me jette avant d'aller évacuer sa peine sur sa couette à cinq cents dollars, anéanti par la pinjustice sociale qui le tient bien loin du bonheur que lui procurerait un Darth Vader en plastique avec une épée fluo. Et avec une pleine boîte de galettes à la mélasse sous le bras.

— Léo, prends-en un paquet, pas toute la boîte.

— Sœurette! Deux fois dans la même semaine…

— Ben oui.

— T'es toute seule?

— Non non, je suis venue avec un beau rôti français.

— Oh, femme infidèle!

— Chaperonnée par un beau gratin de patates.

— T'achètes ça, toi, des patates?

— Non, jamais de la vie, je les vole.

Il dévisse une bière imaginaire avec son habituel sourire complice. Même si je n'en avais pas envie, je ne la lui refuserais pas.

— Bon, ma sœur qui veut encore une bière.

— Je me demandais si tu voulais pas venir au théâtre avec moi.

— Quand?

— Tantôt.

— Ce soir?

— Ouaip!

— Philippe pouvait pas?

— Il l'a déjà vue.

— Ouin, y aurait fallu prévoir ça, y a les devoirs, Romain a une pratique, William aussi...

— Non, ç'a été annulé. François a téléphoné tout à l'heure. Pis on peut demander à la mère de Julien d'amener Romain pour sa pratique, elle nous l'offre tout le temps.

— Ouin.

— Vas-y donc, pour une fois, ça va te faire du bien.

— Qu'est-ce qu'on joue?

— Shakespeare.

— Encore?

— Pourquoi «encore»?

— On n'a rien écrit de bon depuis ce temps-là?

— Mais oui, mais Shakespeare...

— Quoi, Shakespeare?

— C'est intemporel, Shakespeare, c'est toujours bon.

— Intemporel?

— Ben oui.

— Es-tu au courant que t'as pas le droit de tuer quelqu'un qui t'aurait insultée?

— Laisse faire.

Xavier se pointe à la cuisine à ce moment-là pour l'un de ses sept repas du jour.

— Xavier?

— Hum.

— As-tu fait ce que je t'ai demandé de faire hier?

— Non, pas eu le temps.

— Mais t'as joué à l'ordi jusqu'à minuit.

— Pour me détendre.

— De quoi?

— De toute.

— De quel « toute »? Raconte-moi ça. Qu'est-ce que tu fais de si épuisant, toi, dans une journée? Ça m'intéresse.

— *Man…*

— Non mais sérieux, tu fais quoi? Tu fais pas de sport, tu étudies pas, tu travailles pas, tu te laves même pas!

— Paul…

— Tu manges beaucoup, c'est peut-être ça. C'est prenant, la digestion.

Ne dépasse du frigo que le corps voûté de Xavier qui profite de la profondeur de l'électroménager pour disparaître à moitié.

— Non, mais, j'aimerais ça comprendre ce que tu fais qui t'épuise de même, *come on, man*, aide-moi. C'est l'autobus, peut-être? Ou le fait d'être obligé de te réveiller chaque fois qu'un prof prend les présences? Ou d'attacher tes souliers… ah non, c'est vrai, tu les attaches pas.

— Paul…

Le fils détendu, jadis petite perle adorable qui faisait son lit avant que ses parents ne soient levés, promis aux plus grands destins du monde, roule des yeux exaspérés et s'en retourne à ses activités exténuantes en traînant les pieds.

— T'es *rushant, man…*

— Ah, c'est ça qui te fatigue, tu parles en anglais, la langue de Shakespeare, ton cerveau est surchargé.

— Paul, arrête ça.

Et le fils, contre toute attente, surtout celle du père, habitué à une réaction apathique, revient sur ses pas. C'est la goutte, celle du vase.

— Qu'est-ce que je pourrais t'expliquer que tu comprendrais ? Tant que je serai pas un *fucking* médecin comme toi, tu vas penser que je vaux pas de la marde.

— Je t'ai jamais demandé d'être médecin, je te demande juste de faire un minimum, d'étudier, de faire des efforts.

— Mais j'en fais en crisse, des efforts, c'est ça que tu comprends pas.

— Ça paraît pas.

— Ben non, ça paraît pas, c'est ça le problème, ça paraît pas, j'suis pas bon à l'école, je serai jamais bon à l'école. J'suis pas comme toi.

— Ça, c'est pas vrai.

— Allume, p'pa, j'étais bon en deuxième année. Je pédale comme un cave pour me tenir sur la moyenne. J'irai pas à l'université.

— On verra rendu là. Pis faudrait voir ce que tu veux dire par « pédaler comme un cave ».

— Même si j'avais un crisse de doctorat, ce serait pas assez, t'en as déjà un. M'man a une maîtrise. Pis de toute façon, même si j'en faisais un, tu trouverais le tour de me dire que c'était tellement plus dur dans ton temps.

— C'est pas une question de diplôme.

— Mon cul, c'est pas une question de diplôme.

— C'est une question de… de dépassement.

— Ah oui ? Je peux-tu choisir dans quoi je veux me dépasser ?

— Je souhaite rien que ça.

— Parfait. Je veux être coiffeur, maître coiffeur, vu que je vais me dépasser.

— Tu fais exprès de me faire chier !

— Toi aussi !

Il tourne les talons avec adresse, ses pieds se croisent habilement en s'effleurant avec cette touche d'élégance qui naît de l'habitude du geste, à la façon des danseuses de ballet. Un pied de nez de jambes, ce qui n'échappe à personne. Mon frère est sidéré.

— Y m'a pas dit *fuck you*…

— Non, mais y t'a quand même envoyé chier.

— C'est bien, la coiffure, non ?

— Y a-tu l'air de quelqu'un qui s'intéresse aux cheveux, lui ? Y dit ça juste pour me faire chier !

— OK, je m'en mêle pas.

— T'as entendu, Marie ? Pas de *fuck you* c'te fois-là !

— Merveilleux, chéri, la brebis retrouvée.

— Pis t'as vu ça, y était choqué ?

— Choqué noir.

— C'est bon ça, y se passe quelque chose. Je l'avais pas vu autant bouger depuis longtemps.

— Bon, ben je pense que je vais vous laisser.

— Ben non, tu vas au moins rester pour manger le rôti ?

— Ton Shakespeare, c'est qui, les comédiens ?

— J'ai pas vraiment regardé, sûrement les mêmes que d'habitude.

— Marie, t'es sûre que c'est correct si j'y vais ?

— Oui oui, vas-y. Tout est correct.

— *Good*, en route Jim, au moins jusqu'à l'entracte.

La voix de velours nous annonce en une tournure poético-humoristique qu'il est temps d'éteindre tous nos appareils électroniques. Et qu'il n'y aura pas d'entracte. J'écrase le bras de Paul qui tente de s'enfuir. Rideau.

Dans la pénombre, l'assistance se transforme en un pot de vers grouillants. Une pluie de petits papiers froissés crépite de partout. On se racle la gorge à qui mieux mieux, on tousse, on chuchote, les manteaux sont placés, replacés, redéplacés. Les bienfaits de ma sieste se sont complètement dissipés, mes dents cherchent à s'emboîter. La femme assise à mes côtés sape une pastille, pour bien faire entendre que sa façon de consommer de l'art implique le respect de l'autre à qui elle n'impose pas sa toux. Je me joue le film de son étouffement rapide et sans douleur pour me soulager sans trop de remords.

Décor minimaliste, scène grise comme une morne plaine, inclinée. Un bouleau, une roche, une échelle. Figuration de l'intemporalité ; une échelle est une échelle, depuis le début des temps. Roméo, mal caché sous un masque un peu ridicule, vient de se faufiler chez les Capulet quand Paul sombre dans un sommeil profond. La tête retenue par le col de son manteau et le double tour de son foulard, il donne l'impression d'être concentré. Tant qu'il ne fera pas de bruit de bouche, on croira qu'il se repose seulement les yeux et que ça ne l'empêche pas de suivre. Il souffre du syndrome du père [1]. Je l'imagine très bien, dans trente ans, endormi sur sa chaise au beau milieu d'un party de Noël bondé de petits-enfants surex-

---

1. Propension à tomber endormi dans une foule bruyante (ex. : baptême, réunion de parents, veillée du jour de l'An, session sénatoriale, pièces de théâtre, spectacles d'enfants, etc.) au contact d'un support de corps (chaise, fauteuil, causeuse, etc.) confortable ou non.

cités, comme beaucoup de grands-pères. Chez nous, une fois épuisées les réserves de bonbons qu'il cachait dans les replis de son fauteuil, le grand-père Gingras s'assoupissait en souriant, toujours prêt à mourir heureux au milieu de la foule. Ça le décevait d'ailleurs toujours un peu de se réveiller. «Ben coudonc, je vais être obligé de finir ma journée.» Comme si, dans le flot des tâches quotidiennes, mourir aurait été un moindre mal, une tâche un peu plus facile que les autres. Paul est fatigué comme un grand-père qui a encore devant lui des milliers de belles journées parfois longues à finir. Qu'il dorme, Shakespeare s'en remettra. C'est un luxe qu'offrent la chaleur et la pénombre des théâtres, une paix souvent inaccessible à la maison. Une microscopique échappatoire régénératrice. De toute façon, l'une des mêmes comédiennes «que d'habitude» crie sur un ton monocorde. Je ne vois pas pourquoi, sinon pour une mauvaise blague, je le réveillerais. Cyrano l'aurait traitée de porteuse d'eau.

Réveillé par la sonnerie d'un téléphone qui retentit juste à côté de lui, Paul sursaute. Il se passe une main vigoureuse sur le visage pour le recomposer rapidement et se tourne vers l'homme qui répond en chuchotant: «Je suis au théâtre. Oui oui, c'est les mêmes dimensions pour le comptoir. Mais là je peux pas te parler.» La pensée se formule toute seule dans ma tête: «Ben, réponds pas, gros cave!» Paul le fusille de son sourcil tordu d'homme mal réveillé.

— Éteignez-le tout de suite.

Pour les ordres, c'est bien, le vouvoiement. L'homme hésite une demi-seconde, ressort la chose et triture quelques boutons lumineux. L'affaire finit bien. La pièce un peu moins. Comme ils s'en sont tenus au texte original et que Shakespeare n'avait pas vraiment prévu faire une suite à cette histoire, les personnages principaux meurent tous très tragiquement sans ménager de zones d'ombre pour de plausibles résurrections. Et en étirant un peu beaucoup la sauce, comme on le ferait tous s'il nous fallait tomber en amour, vivre une ardente passion et nous suicider dans la même journée. Mais là, aujourd'hui, tout de suite, la poésie tragique de ces jeunes amoureux trop intenses me lacère la patience jusqu'au gros nerf. Je n'en peux plus. Pour me calmer, je me fais un film où je saute sur la scène avec un pied-de-biche pour démolir les décors sous les hurlements stridents des comédiens qui se sauvent en se lançant dans la foule. Je commence par le balcon et je finis avec l'échelle.

Comme la scène penche et qu'elle est faite d'une série de planches intentionnellement mal rabotées – pour figurer les embûches intemporelles de la Vie –, Juliette se prend le bout du pied dans une des aspérités du plancher et plonge vers l'avant de la scène dans un tournoiement de bras résolument inélégant; après un spongieux soubresaut de sa généreuse poitrine, elle atterrit sur les mains et choisit de finir ses lamentations dans cette pose suggestive qui anéantit totalement la possibilité de croire à ses quatorze ans. Les comédiens sont de vrais pros qui vont nous la faire jusqu'au bout, cheville foulée ou pas. Je roule des yeux vers Paul qui semble souffrir terriblement. Les mots glissent de sa bouche tordue vers moi.

— Bois-le, ton osti de poison, qu'on sacre notre camp.

Le gars au cellulaire en profite pour soupirer en s'encadrant le visage du pouce et de l'index, histoire de relever l'incivilité de mon frère.

— C'est pas comme si on savait pas comment ça finit.

Paul ne semble pas se rappeler que Juliette y va d'une sortie toute japonaise, un peu plus salissante que le poison. Tout l'effort que je mets à réprimer mon rire crée une tension qui induit mes épaules à un mouvement vibratoire incontrôlable. La congestion que je m'impose pousse mes larmes dehors. De l'extérieur, j'ai l'air d'une petite matante qui pleure la mort des jeunes amoureux; de l'intérieur, je me bidonne.

À la sortie du théâtre, la communion avec le sublime est palpable dans les commentaires extatiques qui fusent à intervalles irréguliers comme des crépitements. Les petites et grandes misères, vraies ou fausses, bondissent hors des corps et deviennent pour un moment des choses dont on discute librement. Tout à l'heure, demain si on a de la chance, on les ravalera. Ce soir l'art distend, ici et là, une corde à la fois, le grand œuvre commun de l'angoisse existentielle.

Nous rentrons heureux, les muscles du ventre endoloris d'avoir tant ri. C'est ce qui est bien avec Shakespeare, la catharsis est assurée, de quelque nature qu'elle soit.

Le soir est bon, l'air est chargé de l'annonce d'une chaleur qui ne devrait plus tarder. Après cette fabuleuse décharge d'émotions mêlées, il n'y a plus rien à dire, nous marchons en silence un long moment. La tête de Paul penche vers l'avant, lestée d'inquiétudes logées dans le front.

— Comment on fait pour élever des enfants?

— Aucune idée.

— Moi non plus.

— T'es chanceux, t'as quatre essais.

— Y m'en reste trois.

— Y a juste quinze ans.

— Y a presque seize ans, pis y fout rien.

— Mais y a rien à faire à quinze ans! T'es toujours trop jeune ou trop vieux pour tout. Fait que tu t'assois sur ton cul, pis t'attends que ça passe.

— Je voulais tout faire, moi, à quinze ans.

— Oui, toi t'as tout fait, pis t'as tout réussi. Ça y laisse pas beaucoup de marge pour t'impressionner.

— Je veux pas qu'y m'impressionne.

— On veut toujours impressionner ses parents ; quand ça marche pas, on les fait chier.

— …

— …

— Tu penses ?

— J'suis sûre.

La camionnette huit places de Paul nous attend à quelques coins de rues de là, loin des longues files de voitures qui forment d'interminables serpents de tôle autour du théâtre, comme une hydre à plusieurs têtes qui se refait sans cesse une beauté à mesure que se vide le stationnement.

— Quand Xavier était petit, y voulait tout le temps me dire des secrets.

— Je me souviens.

— C'était *cute*, mais des fois ça m'achalait, ça me chatouillait dans l'oreille, y me bavait dessus, pis y me le répétait quinze fois de suite, je l'écoutais à moitié, je me tannais…

— À la longue, c'est fatigant.

— Son secret préféré, c'était : « Je t'aime, gros papa poilu. »

— C'est vrai que t'es poilu.

— La dernière fois qu'y m'a dit ça…

Les souvenirs affluent trop vite, forment un barrage dans sa gorge. Les autres mots passent au compte-gouttes.

— … je savais pas qu'il me le dirait pus jamais.

— …

— …

— Y va te le redire.

— Sur mon lit de mort.

— Si tu meurs dans un lit.

— …

— Si tu l'avais su, de toute façon, qu'est-ce que t'aurais fait de plus?

Des grosses larmes juteuses gorgées de sel coulent sans bruit sur ses joues. Pas de rides de douleur, de grimace, de bouche tordue, rien. Une peine coincée dans le coude qui ne trouve pas son chemin, retenue par habitude. Seule une montée liquide se fraie un chemin en dehors du corps pour peindre sur ses joues un bouleau à l'envers. C'est peut-être une façon toute médicale de pleurer, sans trop de dégât, pour pouvoir continuer le reste, tout le reste. Ce qui est beau, quand on ne relativise pas, c'est qu'on a parfaitement le droit de pleurer pour ça, la dernière fois d'un mot, trop discrète, même quand on passe ses journées à voir des choses infiniment plus tristes. Il ne me regarde pas, ses yeux cherchent à fixer, au-delà du pare-brise, une image de ce souvenir sans doute de plus en plus fuyant avec le temps, au fur et à mesure qu'il devient plus précieux. Gros papa poilu.

Je pose ma main sur son bras et nous rentrons, les yeux rougis par la tragique histoire d'un amour impossible entre un père et son fils. Et qui croit, anéanti, que leur sort en est jeté à quinze ans. La littérature nous le fait croire, quelquefois.

Marie dort sur le divan, en pantalon de jogging pour la course folle de tous les jours. Un jeté à carreaux d'une autre époque mais qu'on devine confortable lui couvre la moitié du corps. Son ordinateur est ouvert, en position bancale sur ses jambes. Sur l'un des bras du divan repose une grosse touffe de cheveux mêlés. Je ne peux pas m'empêcher de penser à Mme Nadeau. La question m'échappe.

— Tu l'aimes encore?

— Qui?

— Niaiseux.

— Ben oui.

— Ben oui, ou oui?

— C'est la même affaire.

— Non.

— Oui, je l'aime encore. C'est pus exactement comme au début, mais oui.

— Pus exactement…

— Ben non, après vingt ans, c'est pas pareil. C'est différent.

— C'est poche.

— Mais non, c'est normal. C'est poche si t'acceptes pas que ce soit normal. De toute façon, sincèrement, j'ai même pas le temps de penser à ça.

— Si t'avais le temps, peut-être que tu te rendrais compte que tu l'aimes pus.

— Ou plus.

— Ça se pourrait?

— Pourquoi pas? Regarde comme elle est belle.

— C'est vrai. Comment elle fait pour rester mince de même avec quatre enfants?

— Elle a quatre enfants.

— …

— T'es pas grosse, Josée.

— Pas de commentaire.

— Tu pourrais plaire à des tonnes de gars.

— Philippe te fait le bonjour.

— Philippe qui?

La belle dormeuse mère de quatre enfants encore belle et mariée au meilleur homme de la terre se réveille. Elle met une demi-seconde à donner l'impression d'être levée depuis des heures.

— Pis, c'était comment?

— La scène était inclinée.

— Ah oui? Pourquoi?

— Pour rire.

— Ah. Tant mieux.

— Oui, c'était drôle.

— Y a écrit des comédies, Shakespeare?

L'affairement les reprend tout de suite, il y a des lunchs à préparer, du linge à plier, des ados vissés devant des écrans à houspiller, de la paperasse à classer signer expédier, des traductions à finir, etc. Les gestes sont fluides, coordonnés. Ce n'est peut-être pas sexy, élever quatre enfants, mais ça donne du rythme.

— Chéri, la paperasse est là pour le camp d'entraînement des gars, les impôts aussi.

Je me sauve en leur envoyant des bisous en spray du bout de mon index.

— Pchit, pchit, pchit!

Tout le monde dort chez Joseph. Le chariot blanc plié attend sur le bord de la porte qu'on le nourrisse de journaux noirs. Madame Nadeau doit être à présent chez elle, si Marco n'est pas rentré trop tard.

Silence chez Margot. Isabeau ne se promène plus. Les mains en papier de riz sont en repos quelque part, en train de se flétrir, attendant d'être à nouveau commandées par la mémoire.

À la façon dont il est installé, dans cette pause si peu naturelle que je me demande un instant s'il n'est pas en train de faire du yoga, j'ai l'impression que Philippe s'apprête à me dire quelque chose qui mérite que je m'assoie et que j'écoute. Mais il ne parle pas. Il se contente de me regarder sans sourire, comme on regarde quelque chose d'ennuyant. Ça se voit qu'il a déjà été beau. Pour un œil amoureux, il le serait encore très certainement.

Nous sommes, Philippe et moi, l'un de ces couples improbables qu'Internet fait naître en croisant des profils aux caractéristiques compatibles. Autrement, on ne se serait jamais vus. Même si on s'était croisés dans la rue ou chez des amis, on ne se serait pas vus. Et si on nous avait présentés l'un à l'autre, on ne s'en serait pas souvenu. La plus exhaustive des présentations n'aurait pu révéler, comme l'a fait Internet, toutes les absences que nous avions en partage et qui allaient, au lieu de se combler, devenir le terreau stérile de notre vie commune ; nous n'avions pas d'enfants, pas de chien, pas de Dieu, pas de plantes, pas de lourd passé, pas trop de livres en trop, pas de dépendance connue, pas de clichés dans notre présentation ; nous n'étions pas des candidats propres de notre personne qui avions envie d'apprendre à mieux connaître un parfait étranger dans le but de développer avec lui une vraie relation qui nous amènerait à ne pas nous regarder l'un l'autre, mais à regarder dans la même direction. Nous n'étions pas ça et ça nous a suffi. Pour commencer et pour continuer. Trop longtemps. Comme l'huile et le vinaigre, nous formions une bonne vinaigrette dans le brassage du quotidien, mais le repos nous trouvait toujours chacun de notre côté, physiquement et chimiquement isolés. Pendant ces années, le temps d'un mandat, on s'est aimés rationnellement, raisonnablement. Comme deux fiches techniquement compatibles d'où l'amour finirait forcément par surgir.

C'est le thérapeute rencontré l'an dernier qui nous a, bien malgré lui, révélé cette troublante réalité. En nous proposant, pour visualiser notre relation de couple, l'image d'un feu de camp accidentellement allumé par la foudre et qu'il nous fallait maintenant entretenir, il nous a forcés à nous regarder, dans notre sombre réalité : deux êtres debout sur le bord d'un tas de bois vert, armés d'un bâton et d'une roche, incapables de mettre le feu à quoi que ce soit. Pas de foudre en vue. D'ailleurs, les mots « reconquérir » et « regagner » sonnaient creux, révélaient que nous faisions fausse route en essayant de retrouver ce que nous n'avions jamais eu. Les couples consultent quand rien ne va plus, rarement pour apprendre à devenir un couple. Son image de la montagne avait fini de nous en convaincre : nous nous trouvions au camp de base d'une montagne que les autres couples, généralement partis du faîte, tentaient de ne pas dévaler. L'amour rationnel n'est pas impossible, il fonctionne à l'envers. Il faut être plus patient et fonctionner sans repère.

Nous n'avons jamais remis les pieds chez ce thérapeute métaphoriste trop compétent. Nous n'avons pas cru bon revenir sur le sujet. Le chantier nous a paru titanesque, Philippe était très occupé ; moi, très fatiguée.

Alors on ne fera pas d'histoire pour finir ça. On ne mettra pas plus d'énergie à se déchirer qu'on en a mis à s'aimer. Dans la modération, du début à la fin. Un amour tranquille, technique, qui fait des blessures propres, chirurgicales. Un amour antishakespearien. Le silence fait le travail des reproches ; je ne trouve rien à lui crier par la tête. Je joue une scène que je ne connais pas. Ça ne ressemble à rien. L'illusion de l'amour finit de se dissoudre dans les sourires détersifs qu'on se jette. Derrière, je le vois mieux maintenant que tout est fini, il n'y a rien, comme il n'y a jamais rien eu. Si la veille encore je trouvais triste qu'on ne soit pas parvenus à s'aimer, je savoure maintenant la simplicité de la séparation qui s'annonce. Au fond, notre histoire ne finit pas, elle n'a jamais commencé.

L'homme se lève, laisse un moment sa main traîner sur la table, comme pour montrer qu'il hésite un peu, puis s'en va vers la chambre ramasser des choses, commencer les plans d'une nouvelle vie qui l'amènera loin d'ici. Ou tout près, ce qui ne change rien, ça ne me concerne déjà plus. Je le remarque pour la première fois, sa main est en peau de fesse. Je suppose que l'autre est faite du même tissu fragile, rose. Mais c'est le fils de Rosanne, il doit bien y avoir quelque chose que je n'ai pas vu, que je ne me suis pas donné la peine de voir.

Je vais continuer d'attendre le Ça, le Ça qui ne se cherche pas. Il n'y a pas de définition ni même de concept un peu flou pour traduire ce qu'est le Ça, seulement des phrases éculées qui permettent d'en déduire le sens : « Inquiète-toi pas, quand ça va être Ça, tu vas le savoir assez vite », « Si ça n'a pas marché avec ce gars-là, c'est parce que c'était pas ça », « T'es pas supposée te poser de questions, quand c'est Ça, c'est Ça ». Alors je vais continuer d'attendre la révélation divine. J'espère vivre vieille.

Mon père passe derrière Philippe en me faisant des grands signes : il s'en va fumer dehors. C'est une précaution nouvelle, non nécessaire, puisque c'est moi qui vais garder le condo, même si je ne l'aime pas : trop froid, trop petit, trop haut. Mais je tiens désormais à rester dans cet immeuble, sur cette rue, dans ce quartier. Cet attachement encore imprécis à des presque inconnus m'est désormais précieux. C'est la plus belle partie de mon histoire avec Philippe.

5

J'ouvre les yeux sur un tas de copies éparpillées pêle-mêle sur mes genoux, par terre, dans les fentes du divan. Un grand trait d'encre rouge traverse le coussin du dossier sur lequel mon bras a glissé en perdant la communication avec le cerveau. Des points plus prononcés révèlent que certaines aspérités du cuir ont offert une plus grande résistance.

Dans ma main, une copie mouillée-séchée-froissée-déchirée agonise. Je vais faire croire à l'élève que je l'ai perdue pour qu'elle m'envoie le fichier que je réimprimerai. Ça m'évitera l'humiliation d'une longue histoire invraisemblable et j'ai besoin, autant pour pouvoir la commenter que pour mon plaisir, de relire l'abracadabrante démonstration par laquelle l'élève met en lumière le véritable rôle de Roxane : en tant que précieuse, elle a, selon lui, la même valeur symbolique que l'anneau, «le précieux», du *Seigneur des anneaux*; comme lui, elle pousse les hommes à se détester, à se détruire, à flirter avec les forces du Mal, etc. De Guise, Montfleury, de Valvert, Christian et Cyrano s'entre-déchirent, certains jusqu'à la mort, pour le cœur de la belle, ce qui fait dire à l'élève que l'instauration d'une paix durable ne pouvait passer, dans l'univers de Rostand, que par la destruction-neutralisation de l'objet sexuel Roxane, ce qui est assuré, à la fin de la pièce, par la religion et le veuvage. Donc, Tolkien et Rostand racontent en substance la même histoire. J'aurai besoin de marges blanches en bon état pour expliquer le caractère hors sujet de la démonstration qui ne manque pas, par ailleurs, d'audace ni d'une certaine intelligence.

J'entends une petite voix derrière ma porte. Dans mon cahier de nuit, ouvert sur la table à café, il n'y a que quelques chiffres maladroitement tracés qu'il serait déprimant d'additionner. Et une seule phrase empruntée pour résumer ma nuit : « J'ai de mauvaises heures. » On toctonne à la porte.

— Salut !

— Salut, vous deux.

Joseph me tend une tasse thermos en plastique, pleine et chaude, tout en évitant de regarder par terre où son chat cherche, en juchant son demi-derrière pour se frotter contre sa jambe, à me montrer qu'il est capable d'être charmant. Mais je ne vois que mieux qu'il est formidablement charcuté.

— J'ai combien de temps pour m'habiller ?

— Pas long. Mon père est déjà prêt.

Quand j'arrive à la course sur le palier de la porte de mes voisins, le visage de Marco tombe. Je me jette un œil pour comprendre, sans rien voir.

— As-tu amené d'autres vêtements ?

J'ai les mains vides, c'est une question rhétorique.

— Dans le genre ?

— Tuque, mitaines, bottes chaudes, pantalon de neige.

— Pour faire quoi ?

Il y a de toute évidence quelque chose qui m'échappe dans l'exercice, puisque s'empiffrer d'œufs au sirop d'érable, de jambon au sirop d'érable, de fèves au lard au sirop d'érable et d'oreilles de christ au sirop d'érable ne nécessite généralement pas d'accoutrement particulier. Dans mes derniers souvenirs de cabane à sucre, il y a même des femmes à talons hauts qui traversent le stationnement en levant le bas de leur robe et qui attendent à l'intérieur, à la fin du repas, qu'on leur rapporte une belle grosse mailloche de tire dorée.

— J'ai mis des bottes de pluie pour sortir manger de la tire, c'est toujours plein de bouette.

— OK, on te passera ce qu'y faut là-bas.

Dans la voiture, Marco pianote d'un poste à l'autre pour essayer d'attraper des chansons. Mais après quelques traits d'humour gonflé au bonheur plastique des animateurs à l'énergie débordante, il choisit de s'en tenir au silence. Heureusement, j'étais mentalement en train de crucifier l'une des animatrices qui venait de faire un commentaire cromagnien sur l'impossibilité pour une femme célibataire de manger des huîtres : trop dur. J'aime mieux ses mains sur le volant, ses mains toutes craquelées fondues dans le faux cuir trop lisse. Sur la banquette arrière, Joseph observe sa boussole, la retourne dans tous les sens, déplace délicatement le compas avant de la poser à plat sur sa main. Puis il se défenestre dans le décor qui file, dans l'un de ces étranges pays imaginaires d'où l'on ramène de vraies boussoles anciennes. Sa main, en parfait équilibre, protège le précieux objet dont la provenance demeure encore un mystère.

— Joseph me racontait que toute la famille s'amène aujourd'hui.

— Oui, quand y fait chaud de même, les chaudières se remplissent vite. On perd tout ce qu'on ramasse pas.

— Ramasser quoi ?

— Eee… l'eau d'érable.

— Faut la ramasser ?

— Oui.

— Y a pas des tuyaux pour ça?

— Pas chez nous, pas encore.

— C'est à vous autres, la cabane à sucre?

— Oui.

— Vous avez acheté ça tout le monde ensemble?

— Non, on l'a toujours eue.

— Comment ça, toujours?

— Mettons deux ou trois cents ans, je sais pas trop.

— Deux cents ans? Vous avez émigré y a deux cents ans?

— Émigré?

— Vous êtes pas Italiens?

— Italiens? Pourquoi Italiens?

— Ben… la céramique, Joseph, Marco…

— Je m'appelle pas Marco.

— Non?

— Non. Marc, juste Marc.

Il me tend sa belle grosse paluche que je ne serre pas. Je le trouve louche.

— C'est un surnom, mon nom de chantier. C'est le vieux Ricci qui m'appelait Marco. Après ça, tout le monde a continué à m'appeler de même, même chez nous.

Cette vérité inattendue balaye d'un coup tout un tas d'images auxquelles je m'étais attachée. Plus de Marco, plus de petit village italien plein de soleil et de tomates, mais un décor de neige planté de cabanes en bois rond, de vaillants gaillards français pliant l'échine pour défricher des terres.

— Pis lui, y s'appelle comment pour vrai?

— Joseph.

— Pas Joseph comme dans Marie et Joseph?

— Non, Joseph comme dans Giuseppe Ricci.

Je me dis qu'il en a sûrement profité pour apprendre un peu d'italien, le roulement des *r* est bien huilé.

— Le vieux Ricci du chantier?

— Oui.

— C'est *cute*.

Joseph est revenu un instant, le temps d'un sourire dans le rétroviseur. Ça semble lui plaire de porter un nom hommage.

— J'ai commencé sur les chantiers l'été pendant que j'étudiais au cégep, en ville. Y avait une série de condos qui se construisaient juste à côté de chez nous, je suis allé voir le *foreman*. J'avais pas mes cartes de menuisier, mais je pouvais à peu près tout faire, fait qu'y m'a envoyé travailler avec le vieux Ricci pour tailler la céramique, préparer les surfaces. Y m'a montré tout ce que je savais pas. Ses fils avaient pas voulu le suivre. Moi, j'ai rien voulu savoir de la ferme…

— La ferme?

— Presque tout le monde est fermier chez nous. C'est là qu'on s'en va, d'ailleurs. La cabane est dans le fond des terres, dans le bois.

— Ah! Grosse famille?

— Trois frères, deux sœurs, une poignée de cousins cousines, de neveux et nièces, pis mon père.

— Pas de mère?

— Au paradis des mamans.

Le paradis des mamans s'ouvre devant mes yeux. C'est une pièce grande comme les plaines d'Abraham, pleine de fenêtres nues qu'il faut habiller. Des milliers de ballots de tissu de toutes les couleurs sont cordés contre les murs de la pièce. Au fond, chatoyant sous le soleil, une armée de tringles dorées attendent, prêtes à servir. Derrière sa machine, au centre de la pièce, ma mère mitraille à fond de train, la pédale dans le tapis, le sourire aux lèvres.

Dans un autre tableau, en vignette sur celui du paradis des mamans, j'imagine Marco sur un chantier, à dix-sept ans, le sourire tout frais, les mains déjà usées par le travail. C'est un petit gars de la ferme impossible à tuer qui essaie d'être de la ville, mais c'est dur pour lui, on se lève tard ici, les chantiers n'ouvrent pas avant sept heures.

Je suis bien dans cette voiture, le ronronnement du moteur et le roulis de la carcasse ont bien vite raison de mes envies, trop faibles, de résister. Je me laisse fondre dans le siège, le menton planté dans la poitrine pour maintenir la bouche fermée. Je ne sais pas vraiment où on s'en va. Et je m'en fous.

J'ai de la neige jusqu'à la taille et le champ que je traverse s'étend à l'infini. Chaque pas m'arrache un cri qui libère la force nécessaire à soulever mes jambes, l'une après l'autre. Ma torpille penche, les pizzas plongent et s'enfoncent comme des lames en taillant des trous brûlants aux pourtours rougeâtres. Je n'en sauverai pas une. La plaine de glace me les arrache, sans pitié pour la pauvre serveuse que je suis. Ça n'a pas tant d'importance cette fois, je n'ai personne à servir.

J'ouvre les yeux comme la voiture s'enfonce dans de profonds sillons de boue entre une jolie maisonnette et une série de bâtiments aux formes diverses, silos, granges, niches à chien. En lettres blanches, gigantesques, le nom «Labranche» est peint sur le plus gros silo à grains. Des gens s'approchent de la voiture avec de larges sourires d'où partent des rides profondes qui s'ouvrent en éventail jusqu'aux yeux.

— Hé hé, le petit Marco!

C'est vrai qu'il paraît petit, ici, projeté dans l'immensité du champ, aux côtés d'une bande de Titans; dans l'exiguïté de la cage d'escalier de notre immeuble, il m'avait toujours semblé si imposant. Les accolades sont vigoureuses, Marco est soulevé de terre à chaque fois. Les femmes comme les hommes portent de grosses chemises à carreaux doublées, des tuques pendouillantes et des bottes qui semblent peser quelques kilos. Après les accolades, les mains retournent au fond des poches et n'en sortent que pour frotter la tête des enfants qui s'aventurent trop près.

On se présente rapidement à tour de rôle : les hommes ont des noms bibliques, Mathieu, Luc, Jean, et les femmes des noms télescopiques, Marielle, Louison, Lucette. On ne tend pas la main, ce sont des outils qu'on s'excuse toujours d'avoir si pleins de nœuds. Mais on sourit abondamment, en penchant légèrement la tête pour combler l'absence de contact. Ils ont tous des yeux d'un brun-noir profond, des cheveux tout aussi foncés, la peau tannée par le grand air. Un vrai petit village italien.

— Marielle, passerais-tu quelque chose à Josée pour monter à 'cabane ?

— Ben sûr, viens avec moi, ma belle.

Je peine à suivre cette femme sans âge qui fait des enjambées fabuleuses malgré les boulets qu'elle a aux pieds. Dans son sillon, elle traîne une odeur mêlée de fumier et de confitures.

Dans le vestibule, sur des crochets de bois capables de porter un homme, elle désempale une veste à carreaux et me fait signe de choisir des bottes dans le tas de celles qui sont alignées à côté de la porte. Elle me tend ensuite une tuque et des gants troués qui feront parfaitement l'affaire pour ce qu'on s'en va faire, m'assure-t-elle, tant que la paume est encore solide, et pis y fait chaud, je me gèlerai pas les doigts. Dans le reflet de la double porte-fenêtre, nous sommes des sœurs jumelles étrangement faites du même moule. L'effet miroir est saisissant. Je ne suis pas grosse, seulement une fermière au corps enveloppé pour résister aux durs travaux. J'aurais été une pièce de choix à une autre époque.

Sur l'énorme plate-forme de bois accrochée au tracteur, il y a des bottes de foin empilées au milieu. Les enfants, excités, sautent d'abord, puis les adultes s'installent tout autour, les jambes bringuebalantes dans le vide, formant de leur corps un garde-fou pour les petits qui jouent au roi de la montagne sur le microcosme des bottes de foin. L'attirail ainsi chargé fonce dans le champ en bonne partie inondé par la fonte de la neige, si bien qu'il nous faut souvent lever les pieds tant la plate-forme s'enfonce profondément dans l'eau. Seules les roues du tracteur, hautes comme des hommes, continuent leur marche tranquille. Les chiens, qui tantôt suivaient à la course, sautent dans l'eau glacée sans hésiter pour suivre le convoi. Je ne sais pas s'ils sont courageux ou seulement imbéciles. Quand nous pénétrons dans la forêt, ils ne sont plus que des points vibrants qui pataugent au loin.

— Inquiète-toi pas, tu vas les voir arsoudre t'à l'heure, me lance l'un des cousins qui me croit vraiment inquiète.

De la petite cabane s'échappe par toutes les sorties une grosse fumée qui emplit l'air. La porte est grande ouverte. À l'intérieur, des casseroles pleines de nourriture fument sur une énorme truie dont les joints bavent de la braise brûlante. Un homme à la peau cuite, casquette des Yankees relevée sur une épaisse tignasse blanche, brasse des aliments indéfinissables à l'aide d'un morceau de bois grossièrement taillé en forme de cuillère. Derrière lui, sur un feu tout aussi bien nourri, reposent d'immenses cuves reliées d'où sort le fumet divin qui s'échappe en tourbillons erratiques par la grande embrasure pratiquée dans le plafond de la cabane.

Des femmes vont et viennent, lentement affairées, esquivant habilement les enfants qui surgissent de nulle part. Une large planche de bois posée sur des tréteaux fait office de table au milieu de ce capharnaüm odorant.

— Ah ben quin, la compagnie qu'y arrive ! J'a' parti le lunch !

Chacun prend sa place comme dans une pièce mille fois répétée. Les femmes s'installent aux fourneaux, montent la table, mouchent les petits déjà trempés, et les hommes font quelques prévisions sur la récolte de la journée en roulant des bûches autour de la planche pour en faire des chaises. Une grand-mère à la beauté enfouie dans les plis menace les petits qui passent près d'elle.

— M'en vas te bouére un œil, m'a te bouére un œil !

Sa main alerte se referme bientôt sur le plus petit, celui qui traîne la patte derrière les autres, deux ans tout au plus. Une proie facile même pour une grand-mère mécaniquement désavantagée. Elle l'attire à lui avec une force surprenante et commence à lui baver dans l'œil pour lui faire croire qu'elle en boit le jus, comme si le corps vitré pouvait, sous l'effet de son haleine, se liquéfier. Le petit ne crierait pas aussi fort si on l'éviscérait.

Dehors, les enfants se chicanent les seaux accrochés aux arbres qui bordent la cabane pour y boire la sève. Comme ils sont lourds et pleins, la moitié de ce qu'ils contiennent s'écoule sur les joues et les habits de neige.

— Buvez-en pas trop, vous allez encore avoir le flux.

Les mères s'époumonent sans trop de conviction, sachant, pour l'avoir tant fait elles-mêmes, que le plaisir de boire jusqu'à plus soif de l'eau d'érable peut bien se payer d'un petit va-vite passager.

La clairière ménagée pour la cabane protège du vent. Le soleil peut taper tant qu'il veut et nous faire croire à l'été. La cabane est une Venise cernée de boue. Et même si la ferme risque d'être un jour encerclée par une mer d'immeubles, le bonheur de ces journées familiales imposées par l'urgence de la récolte la protège pour l'instant.

— Venez manré, venez manré, c'est chaud !

Le patriarche, un homme tronc aussi large qu'épais, fait la criée pour rameuter toute la bande. Comme il n'y a pas de place pour tout le monde à l'intérieur, les enfants s'entassent sur une vieille carriole abandonnée dans la gadoue devant la cabane. Ils vont et viennent au-dessus des casseroles, se servent comme ils l'entendent et repartent avec des assiettes trop pleines que les chiens, le poil fumant, surveillent attentivement. Le reste aboutit en tas pêle-mêle dans les grandes plaques d'aluminium installées au milieu de la table et chacun se sert à sa faim. Aucun légume à l'horizon, mais tout un tas de viandes, d'œufs et de pâtes entièrement cuits dans le sirop d'érable. Le paradis des enfants. Les hommes avalent des quantités astronomiques de nourriture sans souci de manières. Je fais comme tout le monde, je plante au hasard ma fourchette dans le tas : un morceau de saucisse, un morceau de bacon ou de jambon, des grains d'œufs et des petits cubes de pommes de terre. Et ainsi de suite jusqu'à l'épuisement des stocks, dix mille calories plus tard. Juste avant que le sol ne cède sous notre poids, les hommes se lèvent d'un coup, abandonnant les armes sur la table. Et moi sur mon banc, soudée.

Le grand-père s'installe sur la bûche désertée en face de moi.

— T'as ben manré ?

— Trop mangé.

— Saute pas dans 'riviére, tu pourrais caler.

Il est prêt pour son somme de foule. Quand il cesse de bouger, il n'est plus qu'une sculpture de bois, une masse grossièrement travaillée. Au moment où je le croyais mort, il ouvre un œil.

— Ça prend de l'énargie pour aller aux chau'ières. Laisse descendre un brin avant de partir sinon tu vas dégoubir comme une damnée.

L'une de ses mains atterrit sur la table à côté de la mienne qui fait figure de graine de main, toute neuve, tout juste sortie de l'emballage. J'essaie d'imaginer ce qu'elle devrait subir pour ressembler à la sienne. Pour en atteindre la dimension et l'épaisseur, il lui faudrait quelques années passées dans une bonne terre améliorée d'un engrais performant. Et pour la texture, encore un certain nombre d'années de travaux forcés, à creuser des tranchées ou à construire des cathédrales. Là, peut-être. Mais la puissance n'y serait pas. Je ne pourrais pas lui inoculer des générations de dur labeur.

À force de ne plus servir qu'à presser des boutons de plus en plus sensibles, peut-être que les mains sont en train de s'atrophier et que les doigts sont en voie de devenir un chapelet de petits moignons disgracieux, comme des coccyx de bras. Si des extraterrestres débarquaient demain matin, ils ne nous croiraient pas de la même espèce animale, lui et moi.

Marco me fait signe de le suivre. J'attrape un grand seau de plastique blanc qui doit pouvoir contenir au moins vingt litres de liquide et je m'enfonce dans la neige en me projetant dans le rôle d'une fermière courageuse. Mais j'ai l'enveloppe trompeuse : je ne suis qu'une maîtresse d'école insomniaque, temporairement malade mentale, dans le corps d'une fermière. Avec des mains délicates jadis capables de bricoler.

Au fur et à mesure que j'avance, mes jambes s'enfoncent plus profondément; s'ajoute à mon poids celui du seau qui s'alourdit dangereusement d'arbre en arbre, avec l'eau d'érable qui s'accumule. Il me faut procéder par étapes pour ne pas renverser ma précieuse récolte : je me laisse enfoncer dans la neige jusqu'à ce que le mouvement s'arrête, j'empoigne le seau à deux mains, le soulève en y mettant le peu de force que j'ai dans les bras, et le déplace de quelques pouces ; je peux ainsi faire un pas, me laisser à nouveau enfoncer avant de le redéplacer d'un ou deux centimètres. J'ai beau ne pas vouloir relativiser, j'ai en tête des images de déportés traînant toute leur vie dans de grosses caisses de bois, en route vers une frontière inatteignable. Le tracteur chargé de la gigantesque cuve dans laquelle je suis censée aller vider mon seau est stationné cent pieds plus loin, à deux heures de marche pour moi.

J'ai depuis un bon moment enlevé ma tuque, mes gants, ouvert mon manteau, mais mon corps s'obstine à produire une abondante sueur qui se loge sous mes seins, mes bras, dans mon dos, ma raie, mes cheveux. Je souffre physiquement. C'est une sensation nouvelle, à des années-lumière de l'ersatz de souffrance que me procure le gym que je fréquente très irrégulièrement. S'il m'est arrivé de la ressentir, c'est il y a bien longtemps, dans un moment qui échappe à ma mémoire fatiguée de jeune femme trop vieille. Il doit pourtant bien y avoir quelque part dans les fibres de mon corps le souvenir d'une longue journée de déménagement.

L'un des cousins dont j'oublie le nom s'avance vers moi en riant à pleine gorge, qu'il a volumineuse et profonde. Même s'il porte déjà un plein seau d'eau d'érable, il attrape le mien, le soulève de son socle de neige sans le moindre effort et repart à grandes enjambées, allégrement, pliant les bras à 90 degrés pour assurer à la balance qu'il forme ainsi un équilibre parfait. Pas une goutte ne quitte les seaux. Arrivé au tracteur, il vide le tout dans la grande cuve et revient vers moi.

— Repars d'icitte, celle-là est su'le bord de déborder.

Il n'a pas cessé un instant de sourire, de rire même. Je le divertis. Je suis un peu décontenancée, ce n'est pas l'effet que je crée d'ordinaire. Au loin, Marielle me fait un sourire de compassion. Elle transporte elle aussi sans problème un énorme seau bien plein. Elle lève le pouce dans les airs pour m'encourager : bravo championne ! C'est gentil. Tout le monde ici est si gentil.

J'en arrive, en me découvrant une énergie souterraine, à soulever un demi-seau et une jambe en même temps. L'effort m'arrache chaque fois un grand cri qui transforme ma portion de forêt en terrain de tennis. Je suis plus légère sans orgueil. La sueur me pique la peau jusque sous le nez.

Mon beau fermier avance vers moi avec une gourde d'eau. Ça tombe bien, j'en étais à manger de la neige nappée de crottes de moineaux. Il n'a pas la force de son Atlas de cousin, mais son pas est sûr, puissant.

— Repose-toi, tu peux retourner à la cabane.

— Ben non, ça me fait du bien.

Mes poumons se soulèvent péniblement puis reprennent leur position de départ, celle qu'ils ne quittent pas assez souvent, rappelés par le diaphragme qui sort d'une longue hibernation. J'existe beaucoup en ce moment. Comment peut-on avoir autant de corps qui ne sert à rien ?

— Tu t'étireras après, sinon tu vas avoir mal aux jambes à soir.

— Ça va me rappeler que j'en ai.

— Viens voir, y a une petite rivière en bas.

C'est bon, marcher en n'ayant que son corps à soulever. Je me sens déjà plus forte, plus proche de la nature.

Je n'ai pas froid, pas faim, pas soif. Je marche dans la neige sous le soleil en suivant le beau Marco, l'énigmatique céramiqueur-fermier, j'avance dans une toile de Krieghoff. En contrebas de la forêt, les flancs d'une rivière se débattent avec les derniers lambeaux d'hiver. Çà et là, la glace est bordée de franges que l'eau a mis du temps à fignoler. En léchant les gros rochers, elle forme aussi des petites chutes bruyantes qui luisent au soleil et lancent des éclats de vitre sur les branches qui ont résisté.

— Bon, c'est pas le fleuve…

— C'est beau, maudit que c'est beau !

Assis sur ses talons, Marco regarde son mini-fleuve qui charrie des grands pans de sa jeunesse, des crachats, du pipi, des pleurs, des billes. Regarder une rivière, ce n'est pas souper entre amis : c'est une bonne idée de ne rien dire. Et même de n'avoir aucune opinion sur rien. Ça laisse place aux films de tête.

Marco se tourne vers moi, m'attrape la main, me sourit gravement. Il s'approche, tout à coup maladroit. Il fait semblant de s'essuyer les mains sur ses pantalons en détournant le regard. Il hésite. Et puis, doucement, sa main rugueuse se pose sur ma joue pour mieux viser les lèvres, son corps penche vers moi.

— *Josée…*

Non, il ne dit pas ça.

— *Tu sais…*

En fait, il ne parle pas. *Il m'embrasse. C'est merveilleusement chaud et sucré. Foudroyée par l'émotion, je perds pied et glisse dans la rivière. Sur ses bords rocailleux et escarpés d'abord, puis dedans, dans l'eau glaciale.*

— *Marcooooooo !*

— *Noooooooon !*

Je me fracasse la tête sur une grosse pierre et m'évanouis élégamment. De ma tête s'échappe une mare de sang qui

enfume l'eau tumultueuse. Marco fonce vers moi pour m'ex-
tirper de là et se rend compte, sans trop d'étonnement, que
je ne pèse presque rien; il est si fort! Il s'empresse, une fois
sur la berge, de me retirer ma chemise à carreaux trempée
et m'enfile la sienne, chaude comme la gorgée de bon scotch
que nous boirons plus tard, blottis près du feu. Pour l'instant,
il court dans la forêt enneigée, aveuglé par son désir de me
sauver. Je dois vivre, je dois vivre, il m'aime sûrement, pro-
bablement, mais au rythme où il court, son cœur ne tiendra
pas. Et moi, je perds vraiment trop de sang. Mais je reste
belle, je sais que c'est important. Mes cheveux tout à coup
très longs flottent dans les airs au gré des secousses.

— NON! tout le monde en haut! On remonte!

Fin de la scène. Le bellâtre de mon film de tête chicane
les enfants venus faire exactement la même chose que
nous, à quelques lancers de garnotte près.

— Non, mais c'est parce que…

— Non! J'ai dit tout le monde en haut, je veux voir
personne sur le bord de la rivière.

— Non, mais c'est parce qu'on voulait juste…

— NON! Y A TROP D'EAU À CE TEMPS-CI, TOUT
LE MONDE EN HAUT, J'AI DIT.

Ils repartent dans l'autre sens avec des han hon de
déception qui meurent à la vue des seaux oubliés, encore
à moitié pleins de sève.

— On peut pas les laisser jouer ici, la glace est traître.
J'ai sorti Louison à moitié morte de là quand elle était
petite. L'année passée, le vieux Filou, le chien du voisin, a
pas réussi à remonter.

— C'est quoi, la cloche qu'on entend?

— La tire est prête.

La vie n'est pas un film. Marco ne me donne pas même
la main pour m'aider à remonter, n'a pas pitié de moi,

ne me regarde pas. Je m'accroche comme je le peux aux bouts de branches qui me tombent sous la main pour me hisser jusqu'en haut. Il serait d'ailleurs préférable qu'il ne se retourne pas. Dans mon film de tête, qui se poursuit pendant ma douloureuse ascension, les aventures les plus invraisemblables s'enchaînent sans embûches jusqu'au verre de scotch, sans personne pour en critiquer les tournures prévisibles, les clichés et les invraisemblances. Les films de tête ne sont faits que pour la tête. Comme les romans de gare ne sont bons que pour la gare.

Mon seau est devenu trop lourd, impossible à soulever. La petite pause m'a tuée. En y mettant tout ce qu'il me reste de force, le sang afflue massivement dans ma tête jusqu'à m'étourdir. Il y a pourtant toutes ces histoires de gens, de femmes même, capables en des circonstances exceptionnelles de lever des voitures pour sauver un enfant. Les circonstances se moquent bien de moi et de mon seau de trois tonnes. C'est le cousin géant Ferré qui finit par venir le chercher, dissimulant encore mal à quel point je l'amuse. Il me plante là, seule, avec ma faiblesse et mes paupières encore gonflées par l'effort.

En s'enfonçant dans la neige, mon pied libère une poudre rouge qui semble sourdre de la neige ; je me laisse tomber pour m'en approcher et découvrir que ce sont des milliers de minuscules araignées rouges, grosses comme des points sur les *i* de mes copies corrigées, qui fuient le nid familial pour tenter leur chance. Elles ont la vigueur de sprinteuses olympiques, mais n'iront pas bien loin ; il leur faudrait une demi-vie pour atteindre l'arbre le plus près. Elles baignent dans le danger. Là, dans la détresse qui les anime, elles ne m'inspirent ni haine ni dégoût, seule une pitié pas trop sincère. Même si elles mouraient toutes avant de trouver refuge, il en resterait encore beaucoup trop ailleurs, partout, pour que je sois parfaitement tranquille en me promenant dans les bois.

La tire d'érable laisse sur la neige des taches jaunies qui prendraient ailleurs qu'ici des allures suspectes. Une fois léchée, elle ramollit, fond doucement et s'écoule le long des cuillères de bois, rendant collants les mains, les ourlets de manches, les cheveux qui tombent dans le mouvement qu'on fait pour éviter que les gouttes ne s'écrasent sur les pantalons.

Les chiens se lèvent au son du tracteur qui ronronne, prêt à reprendre le chemin de la ferme. Le soleil qui décline encore très tôt force le retrait des troupes avant la fin du combat ; une partie de l'eau d'érable sera perdue. Le sol de l'érablière est sucré, tout le microcosme grouillant s'enivre en exultant. Je serais bien restée là encore quelques heures, quelques jours peut-être, à me chauffer la couenne dans la petite clairière ensoleillée. Mais il faut retourner en ville faire tout ce qu'elle attend de nous, tout ce qu'on lui laisse nous imposer.

Pour le retour, sur l'estrade de paille dont la précarité n'inquiète que moi, je m'installe sur la partie stable, tout en bas. Les immenses roues du tracteur sous-marin se sont remises en marche avec la même détermination pour retraverser les étangs qui couvrent les champs. Cette fois, les chiens ont décidé de couper plus loin, par les bois, en faisant un long détour. Je ne saurais trop dire s'ils obéissent, ce faisant, à une sagesse soudaine ou à un manque d'enthousiasme ; il n'y a plus de soleil pour se sécher et on ne fait que rentrer, retourner à nos vies.

Joseph me lance par en dessous des regards amusés, pleins de sous-entendus. C'est peut-être de me voir dans les habits de sa tante qui l'amuse ou simplement de se rendre compte que j'existe ailleurs que dans l'escalier de notre immeuble. Je m'imagine d'ordinaire moi-même beaucoup plus aisément dans un escalier que sur une ferme.

C'est par le grésillement du papier de sa cigarette que je sais que mon père vient de se pointer. Je ne me retourne même pas, je le devine dans l'angle mort à ma droite, quelques étages de foin plus haut. Il a toujours aimé la campagne.

— Dire qu'on a troqué ça pour des appartements en carton construits dans des champs de béton.

— Ben voyons, papa, tu vivrais pas ici.

— C'est tellement beau !

— C'est beau une couple de jours par année. Quand on se bouche le nez.

— Peut-être, mais dans le moment, c'est beau, c'est juste beau.

— Oui, mais on fait pas juste des tours de tracteur quand on vit sur une ferme.

— Non, mais là, on le fait, pis c'est le fun, pis y fait beau, pis on oublie que ça pue. Moi, ça me rend nostalgique.

— T'as jamais vécu sur une ferme. Techniquement, tu peux pas être nostalgique.

— On s'embarquera pas ici dans ce qui techniquement marche pas...

— Pis c'est comme une prison, la ferme : tu peux jamais partir, tu peux pas voyager, faut que tu t'occupes de ta terre tout le temps, tous les jours, toute l'année, t'as jamais de vacances.

— Tu dis ça comme si tu voyageais, ma belle.

— Non, mais je peux voyager si je veux. Je baisse le chauffage, je mets la clef dans'porte, je saute dans l'avion pis je me sauve.

— ...

— ...

— C'est drôle, ç'a l'air tellement facile dit de même.

— Philippe aime pas voyager.

— Philippe est parti.

Une petite fille me regarde fixement, sans sourire. Mes lèvres bougent, elle voit bien que je parle à quelqu'un. Les autres auront cru que j'avais un machin Bluetooth greffé quelque part. Elle cherche autour de moi, se penche pour voir si je ne dissimulerais pas un petit être quelconque sous moi, derrière moi, dans mes mains que j'ouvre pour lui montrer qu'elles sont vides, et blanches. Je me mets à chanter pour lui faire entendre que je ne faisais que chanter, comme ça, toute seule. Ça lui donne le goût de rester. Ses petits pieds boueux glissent jusqu'à moi.

— Elle te ressemble, dans le temps.

— … *m'en allant promener, j'ai trouvé l'eau si belle, que je m'y suis baignée…*

— Tout le monde disait que tu me ressemblais.

— … *dormez ma belle, il n'est point jour.*

— C'est moins frappant maintenant, on n'a pas le même enrobage.

Je mène jusqu'à la fin ce chant nostalgico-patriotique pour montrer à mon père que je n'ai pas entendu. La petite suit les mots sur mes lèvres, s'essaie à en dire quelques-uns. Sans suivre le rythme, mon père tape des mains, la cigarette chambranlante au bec, prête à mettre le feu à la paille. Ça lui fait un bien fou, la campagne, faudra revenir.

Pendant que je retire les vêtements de Marielle dans le vestibule de la maison, elle me prépare un sac dans lequel elle glisse deux boîtes de sirop d'érable, un bloc de sucre d'érable et un pot de confitures rhubarbe et fraises. C'est difficile à expliquer, j'ai la gorge nouée.

— Je te prépare des 'tits cornets de sucre pour la prochaine fois. J'en ai plus.

— Je veux vous les acheter.

— On en vend pas. On fournit juste pour nous autres.

— Mais ç'a pas de bon sens…

— Faudrait mécaniser le système pour pouvoir en vendre. Tant qu'on a du monde pour ramasser, on va garder ça de même, juste pour la famille.

— Et les amis.

— Pas besoin, nos amis ont leur propre cabane.

On aura mal compris mes liens avec le petit Marco, mais je me contente de lui sourire, je ne veux pas courir le risque de perdre mon sirop et mes confitures. Je suis trop fatiguée pour pouvoir supporter un tel détachement. Un petit chat tout cotonneux, sorti comme une balle de sous le divan, fonce sur moi sans me voir.

— Y est pas méchant. La grosse Laurie y a marché su'a tête l'année passée, y a un p'tit que'que chose de fêlé astheure.

— Au moins y est pas passé dans la moissonneuse-batteuse.

— Mon Dieu, on aurait eu de la purée de chat.

— Fait que le chat de Joseph a été chanceux…

— Hachis?

— Hachis?

— Son chat à trois pattes?

— Pis pas de queue…

— Lui, y est passé dans le hache-paille.

— Le hache-paille?

— Ben oui, Mimine a accouché dans le hache-paille y a une couple d'années. C'était une ben bonne cachette, on n'a jamais vu les petits.

— Ça fait quoi, un hache-paille?

— Ça hache la paille.

— Ah.

— Pour nourrir les animaux.

— Sont de la même portée les deux. Lui, c'est le seul qu'on a réchappé toute d'un boutte. Un petit miraculé. L'autre a jamais voulu mourir, fait que Joseph l'a ramené, y le voulait tellement. On y a offert de prendre l'autre, vu qu'y était complet, on pensait que ce serait moins de trouble, mais y aimait mieux le magané. Ça se comprend, y était magané lui avec dans ce temps-là, notre petit Joseph.

— …

— Gabriel a parti le hache-paille sans regarder. Une chance que la grosse chatte était sortie. C'était déjà pas beau à voir.

— Y en avait combien d'autres?

— On n'a pas compté.

— Ouf…

— C'est un bon hache-paille.

En sortant de la voiture, Joseph me fait signe pour que je laisse son père nous devancer. Il veut me dire quelque chose à l'oreille, dans l'oreille plutôt, même si nous sommes seuls sur le trottoir et que nos mots, brassés par le vent de pluie qui vient de se lever, n'auraient aucune chance d'être autre chose qu'une rumeur confuse pour Marco déjà loin. J'hésite à lui tendre mon oreille, je redoute un peu que la révélation ne contienne le mot «poilue».

Ses petites mains enserrent mon pavillon pour mieux diriger le souffle dans les profondeurs de mon conduit.

— Ma mère aussssssi est au paradis des mamans.

Joseph me fait une moue souffrante de demi-orphelin pleine d'une tristesse vraie. Je jette un coup d'œil à son veuf de père qui disparaît dans l'immeuble au même moment.

Et c'est là seulement que je comprends : c'est Joseph qui m'a invitée à la cabane, pas Marc.

~

Philippe n'est pas là. Il ne sera probablement plus jamais là. Ç'aurait été pratique de tomber en amour, nous étions déjà installés ensemble. Maintenant il va falloir penser déménagement, séparation des biens non listés, manques physiques de diverses natures, etc.

Le corps alourdi par la résurrection de tous mes muscles oubliés, je m'étends sur le lit tout habillée. Je détache seulement mon soutien-gorge pour éviter d'être sciée en deux par l'enflure qui s'installe. Sans moi, mon corps gonflé de noyée épuisée pourrait dormir sans problème. Mais je suis là, l'esprit infesté d'angoisses microbiennes, bien décidée à l'habiter jusqu'à ma mort, ce corps de fermière, ne lui laissant que mes démêlés avec les extraterrestres et mes tentatives de servir de la pizza pour se refaire.

Et la vis, comme toujours, se met en marche. Mais elle ne broie, ce soir, que des objets, de la neige, des arbres, des seaux, des chats malchanceux…

6

— Moi aussssssi…

Trois heures quarante-deux plus tard – je dois écrire ça –, je suis réveillée par les mots sifflants de Joseph qui se sont tranquillement taillé un réseau souterrain dans mon cerveau jusqu'à en ébranler les plus grandes certitudes. « Moi aussi », comme dans toi et moi, nous deux. Ce n'était peut-être qu'une formule de sympathie, une façon de relever un malheur commun, une même absence. Deux mots susurrés dans le creux canal de ma tête parce qu'ils parlaient de moi, de moi aussssssi.

Mais je ne veux pas.

Ralentie par la rigidité de mes membres endoloris, je me traîne jusqu'au téléphone, encore chez moi attaché au mur, comme une actrice aux jambes cassées poursuivie par un tueur armé d'une scie à chaîne. Que je connaisse le numéro de téléphone de ma mère n'est pas forcément un indice encourageant, il été le mien pendant les vingt-trois premières années de ma vie ; rien ni personne ne pourra jamais le détatouer de mon esprit, les répétitions d'enfant l'ont transformé en un influx nerveux indélébile. Je veux seulement parler à ma mère comme je n'ai jamais voulu lui parler. Portée par la peur viscérale de la perdre, je me sens toutes les dispositions de l'enfant parfaite et aimante. Et pour conjurer le sort de façon préventive, pendant que la sonnerie retentit, je multiplie les promesses que je marmonne comme des prières : si elle veut bien m'avoir fait le plaisir d'être encore en vie, je l'appellerai tous les jours, deux fois par jour même, je l'écouterai se plaindre avec intérêt, je lui dirai comment je vais, sans mentir, je lui demanderai de venir refaire mes rideaux, à son goût, toutes les fois qu'elle le jugera nécessaire, je la laisserai me cuisiner des horreurs culinaires, je lirai ses livres pop-corn, je consulterai le la les meilleurs spécialistes qu'elle tiendra à me faire rencontrer…

— Allô ?

— MAMAN ?

— Oui, doucement, ma grosse, qu'est-ce qu'y se passe ?

— Maman ?

— Oui, Josée.

— C'est moi.

— Je sais. Qu'est-ce qu'y se passe ? T'es où ?

— Chez nous, je suis chez nous. Mais toi ?

— Moi aussi, chez nous, tu m'as appelée chez nous.

— Tu vas bien ?

— Oui, merci. Mais qu'est-ce qui se passe, ma belle ?

— Rien rien, je voulais juste jaser, comme ça, prendre de tes nouvelles.

— … OK.

— Je te dérange ?

— Mais non, mais non.

— T'es bizarre.

— Moi ?

— Oui. Qu'est-ce qui se passe ?

— Ben, je suis un peu inquiète, y est quatre heures et demie du matin…

— *Shit !* J'y ai pas pensé. Excuse-moi, maman, merde, je te rappelle.

— Ben non, voyons, c'est correct. Tu vas bien, c'est correct. J'ai juste eu peur, là.

— J'ai pas pensé à l'heure, maman, je te rappelle tantôt.

— Non non non, je suis debout là, ça va. Qu'est-ce qu'y se passe?

— Rien, je pensais.

— OK. À quoi?

— À toutes sortes d'affaires.

— Comme quoi?

— Comme à des affaires plates.

— Comme à quoi?

— Bof...

— Comme à l'école?

— Ben non, ça va bien à l'école.

— OK.

— À part un petit accrochage avec un élève... ou deux...

— T'as l'air fatiguée...

— Oui, c'est pour ça aussi.

— Je sais.

— Mais c'est pas ça, pas juste ça.

— Quoi, aussi?

— Maman...

— Oui, mon amour?

Mon amour. Du plus profond de mes douleurs d'enfant je l'entends qui me dit mon amour quand j'ai mal au ventre, quand je fais pipi au lit, quand mon amie ne veut plus être mon amie, quand elle me déshabille et me douche après un soir de beuverie. Ma mère dit mon amour quand elle voudrait prendre sur elle ma peine et qu'elle se sent impuissante à me soulager.

— J'ai eu peur que...

— Que quoi?

— Que tu sois… que…

— Je suis là.

— Je pensais que peut-être non.

— C'est ben drôle ça, je t'appelle tout le temps.

— Je sais. Mais papa aussi… je me disais que toi aussi, peut-être… je sais pas, c'est Joseph, à cause de sa mère… ça m'a fait douter, comme pour papa des fois…

— Il vient encore faire son tour?

— … oui, des fois. Pas souvent.

— Tu devrais retourner te coucher, tu vas trouver la journée longue à l'école tantôt.

— J'ai pris un petit congé.

— T'es malade?

— Non.

— T'as trop de corrections?

— Non, oui, mais c'est une histoire compliquée.

— C'est à cause de l'accrochage?

— C'est correct, tout est réglé, j'y retourne lundi.

— Bon.

— Maman…

— Oui, ma belle.

— Me semble que j'ai rien fait dans 'vie.

— C'est pas vrai, t'es une bonne prof.

— Un peu folle.

— Juste un petit peu, comme tout le monde. Ça t'empêche pas d'être une bonne prof, ç'a peut-être même du bon.

— J'ai pas d'enfant.

— Ça t'enlève rien. Pis t'es une super matante.

— Mais non, voyons, je fais juste leur amener des cochonneries à manger.

— Arrête ça, les enfants t'adorent, tes élèves aussi. Pis c'est pas dit que t'en auras pas, des enfants…

— Philippe est parti.

— …

— C'est correct, m'man.

— Quand ça?

— Hier.

— Ça te fait beaucoup d'absents qui tournent dans ta petite vis, ça.

— Moui…

— Veux-tu que je vienne te voir?

— Quand?

— Tout de suite.

— Tu viendrais?

— Ben oui, mon amour, on dirait que ça te surprend. Va faire un petit somme pendant que je te fais des bons muffins, je tarderai pas.

— Tu vas faire des muffins?

— C'est une façon de parler, je vais aller les acheter.

— Ah, OK.

— Débarre ta porte avant de te coucher, les voleurs ont fini leur *run* à cette heure-là, je vais pouvoir aller te rejoindre sans te réveiller.

— Tu me réveilleras, voyons.

— Pas question! Si tu dors, je vais te laisser dormir certain. Je m'installerai devant la télé, inquiète-toi pas.

Je raccroche et ma main reste sur l'appareil. Les extra-terrestres pourraient débarquer que je ne me bougerais pas la fesse de là. Je me laisserais même découper. Je suis bien, en apesanteur dans ma petite cuisine bien rénovée qui ne sert jamais qu'à me recevoir moi-même. J'ai même un peu envie de dormir.

— Ah! T'es là! Tu vas être contente, j'ai fait une demande officielle pour des renseignements confidentiels sur ta destinée, je me suis fait des contacts…

— T'es ben fin, papa, mais laisse faire ça. T'en as assez fait. T'as été parfait, mais là c'est fini.

— C'est fini, déjà?

— C'était juste en attendant.

— En attendant quoi?

— Que ça passe.

— C'est passé?

— Je sais pas. Mais ça va être correct.

— T'es sûre?

— Sûre.

— Ça va faire drôle, quand même.

— Oui.

— C'était pas chez nous, ici, de toute façon. Pis c'est une drôle de maison.

— C'est un condo.

— Raison de plus, j'ai jamais aimé ça, les condos.

— Je vis toute seule, papa, je vais pas m'acheter une maison.

— Ça va peut-être changer.

— Oui?

— Je sais pas.

— Tu venais pas de te faire des contacts?

— Ben non, c'était juste une farce. J'ai même pas trouvé les bureaux, c'est trop grand.

Il se lève, s'étire, range sa cigarette dans sa poche et me sourit.

— Josée… je t'ai tellement aimée, ma petite fille chérie.

— Tu m'aimes plus?

— Je suis mort, je peux plus.

— Je pense que c'est ça qui me dérange.

— Mais je t'ai tellement aimée quand j'étais là, tu dois ben avoir des réserves.

— Peut-être.

— Ben oui, c'est pour ça d'ailleurs que les parents aiment autant leurs enfants de leur vivant, y savent qu'y pourront plus après.

— Je pensais que c'était pour pas les égorger.

— Pour ça aussi.

— Pis t'as encore ta mère, la belle Madeleine.

— Elle s'en vient faire un tour.

— Chanceuse! Je vais me dépêcher, d'abord, je voudrais pas lui faire peur.

La main qu'il laisse traîner dans mes cheveux ne déplace plus rien, il n'a plus de consistance. Il s'en va, je ne peux plus le retenir. Même l'idée que je m'en fais est devenue diaphane. Pour sa sortie, il ne s'embarrasse plus des contraintes physiques, se laisse absorber par le mur de la cuisine qui donne sur la cour arrière. Trois le regarde sortir en vapeur et tend sa patte griffue pour essayer de l'attraper.

— Salut, papa. Mon petit papa…

Il ne reviendra plus, on le sait sans l'avoir dit. J'irai acheter plein de choses pour combler l'espace et le fond de l'air un peu trop silencieux. Déjà la table est libre, les journaux se sont sublimés, le cendrier a disparu, le radio-réveil attend de reprendre sa place, débranché.

Alors qu'il me semble aujourd'hui possible d'accepter la mort des êtres aimés, j'ignore comment me soigner de l'absence de ceux qui ne viendront pas.

Plus tard, sortie de ma torpeur, je sors dehors en courant pour ne pas manquer le livreur de journaux. J'aurais des envies de rouler sur la 138 jusqu'à Baie-Comeau, la tête sortie par la fenêtre en hurlant. Ou de boire toute l'eau du fleuve coincée dans le fjord entre Tadoussac et Sainte-Catherine pour qu'on puisse y ancrer les bases d'un pont. Mais je ne sais pas où je mettrais la machine à bouillon de poulet, alors j'imagine autre chose qui n'affecte pas le décor : j'aimerais bien sauter dans le fjord et aller en toucher le fond. Bonne Fête des Morts passe au même moment. C'est ma chance. Je le laisse s'approcher et me faire ses souhaits.

— BONNE FÊTE DES MORTS !

— BONNE FÊTE DES MOOOOOOOOOOORTS TOI 'SI !

J'y mets tout ce qui peut sortir par l'embouchure étriquée de ma gorge. La vibration de ma voix atteint le fond de mes talons. Je me sens vide comme ma fausse maison. J'ai manqué le livreur, les ballots de journaux sont déjà là, ficelés comme des rôtis français. Mais Bonne Fête est content, la voisine d'à côté, un peu moins. Depuis le retour du printemps, Mme Da Silva a repris du balai pour polir le béton, en faire du marbre ou quelque chose de ressemblant. Elle me lance un regard pointu, les sourcils ramassés en un pain de poils entre les deux yeux.

Le ricanement de Joseph me caresse le derrière des oreilles. Je me retourne et m'installe en petit bonhomme à côté de lui pour rouler les journaux avant de les lancer dans le chariot.

— T'as pas froid en pyjama ?

— Oui, mais c'est pas grave. Je te donne un petit coup de main pis je rentre.

— OK. *Tchek*, ça va mieux si tu passes l'élastique par-dessus ta main, comme ça.

Il me refait le geste très doucement pour que je puisse bien voir comment l'élastique est maintenu en extension sur ses jointures avant de basculer sur le journal roulé. Ça s'entend qu'on lui montre souvent des choses, le ton est bienveillant, paternel. Trois se faufile jusqu'à ma jambe de grosse fermière qui sent la ville pour y enfoncer sa petite tête. Je souris en regardant Joseph s'éloigner avec son chariot désespérément blanc dont la peinture refuse obstinément de s'écailler. Son chat mutilé le suit à distance, toujours sans patte. Je n'avais pas totalement exclu la possibilité qu'elle repousse, un peu comme la queue des salamandres. Marco sort à son tour et me dévisage sans poser de questions. Il ne me demande pas ce que je fais en pyjama, grelottant de froid dans le petit matin. Et comme il n'y a rien d'avouable dans ce qui m'a conduite ici, je continue seulement de sourire, bêtement, en espérant que ça puisse servir d'explication.

— Viens voir.

La fresque est presque complétée. Sur le casse-tête de lames coupantes qui figure la mer, le bateau de Joseph file dans une histoire compliquée qui prend forme quand on se concentre un peu. Des milliers de petits morceaux s'emboîtent dans un hasard artistique, jusqu'à faire oublier qu'ils sont des pièces de céramique. Je reste là un bon moment et je fais ce qu'il y a de mieux à faire dans les circonstances : je regarde. Et me réchauffe.

— C'est presque fini.

— C'est vraiment beau.

— Merci.

— Joseph doit être content.

— Oui.

Il aurait peut-être envie de me poser des tas de questions, de me raconter des tas de choses sur lui, mais je sens que tout est concentré dans le bateau, qu'il faudra que je m'en contente. Marco parle avec ses mains, c'est sa façon de dire ; il dit « viens voir » chaque fois qu'il a envie de jaser. Si on s'était aimés tout de suite, je n'aurais probablement pas compris ça. Alors je vois, avec lui, en silence, ramenée à moi par son calme contagieux.

Ce qui est bien avec les condos, c'est que souvent les balcons sont faits du même béton non raffiné que les trottoirs. Je peux y installer secrètement une grosse canisse de ketchup vide – Philippe aimait les formats économiques – et y brûler une à une les feuilles d'un livre en regardant les pages noircir, se tordre et retourner à la poussière. Les pages d'un livre de nuit, par exemple, ou celles d'un tas de vieux rapports d'impôts.

～

Les saccades de la machine à coudre me parviennent jusqu'à la chambre où je valse avec bonheur entre le sommeil et l'éveil. La petite grenouille à tête de pain trempé me regarde, entre deux ouvertures d'yeux. Elle attend paisiblement sur le quai où le traversier viendra accoster dans quelques minutes. Si je la prends en chasse, elle risque de sauter dans l'eau et de s'émietter en bouffe à poissons en tentant de se rendre à Lévis. Alors je me contente de la fixer par intermittence de mes yeux reposés. Son pain pourra sécher, ce sera mieux pour elle. Dans le salon, pas loin, juste derrière le mur sur lequel se découpe la grenouille, ma mère fixe pour l'éternité du tissu dans des formes précautionneusement calculées.

— Si un enfant décide de se pendre après, ça lâchera pas.

Je doute beaucoup plus de la possibilité qu'un enfant débarque chez moi avec l'intention de se pendre à mes rideaux que de leur solidité. En fait, on ne leur demande rien d'autre que de border joliment les fenêtres, à ces rideaux, j'ai l'appartement le plus haut perché de la rue et des stores quand je veux la paix ou la nuit en plein jour.

— J'ai pas vraiment besoin de rideaux, maman.

— Je sais. C'est pour ton frère. Je vais faire tes coussins avec ce qui va rester.

— Ah! C'est quoi, cette machine-là?

— Ma nouvelle machine portable. Une fois fermée, on dirait une petite valise. C'est juste un peu plus lourd.

— Ah.

— Léo a appelé.

— Léo?

— Ben oui, c'est ton frère qui l'a fait appeler. Y était surpris de me savoir ici.

— Pourquoi?

— Parce que je viens pas souvent.

— Non, pourquoi y m'appelait?

— Y m'a dit qu'il avait fait beaucoup de « gomi » pendant la nuit. Comme tout le reste de la famille.

— Du gomi?

— Oui, gomi dans le sens de gastro contagieuse. Y a renvoyé pendant douze heures, qu'y voulait te dire. Après ça, y a compté jusqu'à douze pour me montrer combien c'est long. Uuuun, deuuuux, troiiiiiis…

— Oh non!

— Xavier aussi voulait te parler.

— Xavier?

— Je suis allée t'acheter de la soupe Lipton pendant que tu dormais. Pis je t'ai mis un grand bol à côté de ton lit au cas où tu te sentirais mal.

— Ça prend du Gatorade.

— Non non, pas de médicament, juste un petit bouillon salé c'est correct. Je vais même te laisser manger les nouilles quand t'iras mieux.

Elle va me laisser manger les nouilles quand j'irai mieux. Je ne suis même pas encore malade. Le retour trop soudain de mon enfance et des frontières qui en délimitaient les possibles me pousse à la défense.

— Mais toi, maman, tu devrais pas rester ici d'abord.

Son pied n'arrête pas d'écraser la pédale. L'aiguille martèle sa belle assurance.

— Inquiète-toi pas, j'attrape plus vos maladies de jeunes depuis longtemps. Y a pas un microbe de gastro assez brave pour s'attaquer à une vieille affaire comme moi.

Soudain je la vois dans ce qui reste de son corps qui s'use inexorablement depuis soixante-huit ans, plus petite malgré sa carrure imposante qui refuse de ployer. C'est d'elle, les gènes de fermière. Elle pourrait me faire le coup de mourir n'importe quand, au fond, même si les statistiques lui promettent encore un long avenir ; d'ailleurs, on ne sait jamais de quel côté de la statistique on tombe. Affaiblie par l'idée de la gastro en plein débarquement dans mon corps, j'esquisse un mouvement des bras vers elle qu'elle ne remarque pas.

Toc toc toc.

— Bouge pas.

Je la suis. Comme si je pouvais maintenant la perdre, là, tout de suite.

— Josée est-tu là ?

— Oui, mais elle est malade.

— Ben non, maman. Salut, Joseph.

— Salut.

— Ça va pas ?

— Je sais pas.

— Qu'est-ce qui se passe ?

— T'as-tu la clef ?

— La clef de quoi ?

— De chez Margot.

— Non. Pourquoi tu veux la clef de chez Margot ?

— C'est à cause du piano.

— Qu'est-ce qu'y a, le piano ?

— Y joue plus.

— Non ?

— Non.

— Depuis quand ?

— Je sais pas.

— Y jouait-tu, hier ?

— Non, y avait rien. Même le matin, même plus tard.

— Vous avez cogné chez elle ?

— Oui. Mais ça prend la clef ou la police.

Des voix montent depuis l'entrée. Je saute d'un palier à l'autre sans toucher les marches. Madame Nadeau, déroutée, s'étreint de ses propres bras en murmurant tout bas. Marco ne regarde que ses pieds, les mains dans le fond de ses poches qui semblent drôlement profondes. Il n'a rien à me montrer. Ma mère arrive derrière moi en soufflant, s'arrête dans l'escalier sans que personne n'ose bouger, en pleine cérémonie d'impuissante inquiétude.

— Mon Dieu, c'est pas possible, se ressembler de même.

Les têtes discrètement levées vers nous hochent leur approbation par un mouvement quasi imperceptible. Marco fait un sourire triste, façon de dire dommage de vous rencontrer maintenant. Madame Nadeau, que l'angoisse rend nerveuse, essaie de repousser un peu l'inéluctable.

— Peut-être qu'elle est juste partie faire un p'tit voyage pour se désennuyer.

Puis une série de gens, officiellement costumés ou non, entrent en trombe et prennent d'assaut les escaliers. Les femmes et les enfants se réfugient chez Marco, autour de la belle table-tableau qui nous tient, le temps du drame, très loin au large, dans une tempête à jamais figée dans la colle de céramique. Marguerite n'est pas partie en voyage. Alors je me joue un petit film de tête pour la finale.

Margot joue du piano les yeux fermés, ses doigts se multiplient sur les touches et se déploient comme une queue de paon. C'est parce qu'elle se sent tout à coup fatiguée qu'elle s'arrête en soulevant très doucement les mains pour atténuer la décharge de silence. Elle prend alors une gorgée d'eau dans un verre de cristal finement ciselé posé à côté d'elle, se lève, marche jusqu'au divan et s'assoit pour essayer de comprendre ce qu'elle fait là. Et pour la première fois depuis longtemps, les objets autour d'elle reprennent leur rôle de souvenirs et raniment sa vie et toutes celles qui en découlent. Sa solitude ne l'effraie pas, on viendra plus tard, elle le sait bien; son intérieur est tapissé de visages qu'elle voit souvent défiler. En attendant, elle reste là, ferme les yeux pour une très longue sieste. Fin.

Dans la vraie vie, les choses ne sont jamais aussi simples, aussi belles. Les odeurs sont plus fortes aussi. C'est ce qui fait tant aimer les films de tête.

Nous sommes encore prostrés sur la table quand le céramiqueur parti en éclaireur franchit la porte, les bras figés le long de son corps, les yeux rivés sur le bout métallique de ses bottes que le cuir trop usé n'arrive plus à couvrir. Avec un sens de la répartie que je ne lui connaissais pas, mon corps se met à onduler sous la violence de tout ce qui, soudainement, cherche à en sortir. Et sur la mosaïque princière du plancher de la salle de bain, je verse des litres de gomi, mélange de douleurs et d'inoffensive maladie d'enfant, qui viennent affadir les couleurs éclatantes de la fresque. Du coin de l'œil, je vois l'avancée de la mer de bile qui recouvre les morceaux soigneusement agencés.

Je fais peur à Joseph avec mes spasmes gutturaux. Ma mère l'attire à elle avec un caramel Werther's Original de poche pour le rassurer, lui expliquer que je ne suis pas un extraterrestre en train de se transformer. Madame Nadeau retourne à son sofa qu'elle habite comme une maison, dans un lieu familier imprégné de ses odeurs, moulé à ses formes.

Et Marco près de moi fait des barrages avec des essuie-tout pour contenir l'étendue des dégâts. Je l'entends qui pousse tout dans un sac de plastique sans soupirer ni rien, comme s'il nettoyait un chantier à la fin de la journée.

— M'excuzzze…

— Pas de trouble.

— Ton beau planch…

— Y est encore beau.

— Ça pue.

— J'ai mis du coulis époxy pour les joints. Pas de trouble.

Et puis je vois ses belles mains écorchées s'approcher de moi, me tendre une débarbouillette qu'il a mouillée d'eau très froide que je n'essaie même pas d'attraper, mes mains sont soudées au siège des toilettes. Alors il s'age-nouille à côté de moi, sur le plancher non désinfecté, dans mes odeurs d'intérieur de corps au travail, et m'essuie le visage si doucement que je sens à peine le contact du tissu, comme si c'était du papier sablé et qu'il avait peur de me blesser. Il recommence ainsi jusqu'à ce que j'arrive à sou-rire. C'est une chose qu'on apprend à faire, je suppose, quand on élève un enfant. Un geste qui s'invente au-delà de la peine, de l'engourdissement des doigts malmenés sur les chantiers et de l'infinie fatigue.

Dans l'entrée, à côté des souliers, nous attendent, ma mère et moi, dix livres de pommes de terre achetées la veille.

— J'ai vu ça tantôt quand je suis arrivée, t'as encore acheté des patates pour nourrir le quartier?
— Maman?
— Oui, ma grosse?
— Aimes-tu ça, les condos?
— Quand sont pas juchés haut comme le tien, je trouve que c'est ben moins de trouble qu'une maison.

Ma mère est repartie, jusqu'à demain, dans quelques heures à peine. Comme je lui ai donné la permission de revenir, elle devrait se pointer à l'aube, dans le dernier coude de ma nuit, au moment où je tombe infailliblement à la vue de la lumière du jour, comme le naufragé qui cesse un moment de ramer à la vue de la terre qui se profile au loin.

En attendant, comme je n'ai plus de livre de nuit où consigner les petits riens de ma non-nuit pour m'aider à réfléchir, je passe une partie de ces heures d'errance à me soûler de scènes invraisemblables, en suivant les allers-retours de Bonne Fête des Morts. Tant d'heures perdues, fois deux, lui à crier, moi à me taire. Pour tuer la vis dans l'œuf, je me mets à corriger furieusement jusqu'à tomber endormie le front collé à l'une des copies. Avec des pauses vomi.

≈

— Salut!
— Comment ça va?
— Ça gomit.
— Merde, désolé.
— Pas de ta faute. C'est correct, c'est bon pour la ligne.
— Maman est encore chez vous?

— Oui. Je surveille tes rideaux.

— T'avais besoin d'une garde-malade?

— Oui, pis j'ai besoin d'un billet du médecin.

— Ben voyons, tu vas être correcte demain. Ça dure vingt-quatre heures, une gastro.

— Non, je pense pas, vraiment pas.

— Ben oui.

— Ben non. Ça va me prendre, bof... mettons trois-quatre jours.

— Trois-quatre jours?

— Oui, à peu près.

— Tu charries un peu, trois-quatre jours pour une gastro!

— T'es pas obligé d'écrire «gastro».

— Non?

— Tu peux écrire «surmenage».

— Surmenage?

— Comme une complication de la gastro, genre.

— Ah oui, genre.

— C'est la première fois que je te demande quelque chose. Y a pas un sou de ma paie qui échappe à l'impôt, je suis jamais malade, les seuls jours de congé que je prends, c'est pour finir mes corrections...

— OK, c'est beau.

— Merci. Ah! Tant qu'à faire, peux-tu me le faire pour la semaine passée? Je vais être correcte pour aller travailler demain, de toute façon.

— Ah! une gastro rétroactive.

— C'est nouveau.

— Je suis pas à jour.

— C'est très rare.

— J'imagine.

— Je passerai demain matin le chercher?

— J'avertis Marie.

— Merci, frérot. Peux-tu me passer Xavier ?

— Xavier ?

— Oui, maman m'a dit qu'il voulait me parler ?

— Xavier ?

— Oui, ton fils, le grand avec des bras de singe qui fout rien.

— Pourquoi ?

— Aucune idée.

— Genre.

— Je te le jure !

— XAVIER, TA MATANTE AU TÉLÉPHONE ! J'espère que t'es pas pressée, y part du deuxième…

De mon lit, j'entends ma mère qui s'est remise à coudre. Je n'ai toujours pas vu les adorables petits coussins, qui ne pourront qu'être bien faits, parce qu'avec ma mère, tout ce qui mérite d'être fait mérite d'être bien fait. Ils seront solides comme des boucliers.

— Salut, matante.

— Salut, Xavier.

— …

— Tu voulais me parler ?

— Ouin. À cause du frère de Jess.

— Ouin.

— Tu le connais ?

— Je devrais ?

— Ouin.

— Y va au cégep ?

— Ouin.

— Y a beaucoup de monde au cégep.

— Mais peut-être que tu le connais.

— Et… ?

— Ben c'est que…

— Que quoi?

— C'est-tu toi, l'affaire du téléphone?

— …

— Matante?

— Quel téléphone?

— Le téléphone, là, *come on*…

— Écrasé?

— Ouin.

— Hum hum.

— *Cool*, *yes*, je le savais, c'est trop *cool*…

— Non, c'est pas *cool*.

— Sérieux, y est vraiment chiant, le frère de Jess.

— Xavier…

— Tu veux pas que je le dise, j'gage?

— Genre.

— OK, matante.

— Merci, neveu.

7

— S'cusez-moi, madame.

— Entre.

— J'peux-tu vous parler deux minutes?

— Bien sûr. Assieds-toi.

— Je suis dans le groupe du lundi-mercredi.

— Laisse-moi deviner, tu pourras pas me remettre ton travail aujourd'hui comme c'est prévu depuis le début de la session et comme je vous l'ai répété chaque semaine depuis le jour de la rentrée?

— Oui, ben non, mais c'est parce que…

— C'est parce qu'aujourd'hui, précisément aujour- d'hui, pas les autres jours, non, aujourd'hui, jour de la remise, il t'arrive quelque chose de terrible, c'est la fin du monde, ton chum t'a laissée hier soir…

— Ouiiiiiiiii…

Elle part d'un grand cri de bouilloire. Je ferme la porte de mon bureau afin d'éviter d'ameuter le troupeau.

— OK. Doucement, assieds-toi.

— C'est finiiiiii…

— …

Je sais ce qui est fini, elle sait que je sais ce qui est fini puisqu'elle se contente de dire que c'est fini, mais elle ne sait probablement pas que je sais que les pires peines d'amour se vivent à dix-sept ans, entre autres choses parce que ce sont les premières. Je sais aussi que les mots sont incapables de conjurer une telle douleur.

— J'ai envie de mourir…

— Je sais.

— J'me sens tellement conne.

— T'es pas conne.

Je n'ajoute rien, je ne veux surtout pas qu'elle me déballe toute son histoire qui nous entraînerait bien loin du rôle que je joue dans le drame présent de sa vie ; je suis son professeur de français et j'attends d'elle un travail qu'elle ne peut me remettre.

— Pis là, la dissertation, ben je l'ai pas faite. Pis j'sais pas quand est-ce que j'vais la faire. Pis sérieux, je l'ai même pas lu, le livre, pis j'm'en fous.

— Hum.

— J'vais toute crisser ça là, de toute façon. L'école, pis tout le reste. J'suis écœurée, j'suis tellement écœurée.

— OK. Donne-toi quand même un jour ou deux pour y penser.

On se tait, le temps de laisser passer un jour ou deux. Ses reniflements parviennent à enterrer le bourdonnement sourd de la ventilation.

— Mais qu'est-ce que je fais, d'abord, pour la dissertation ?

— L'as-tu acheté, le texte de la pièce que tu devais lire ?

— Oui, mais je l'ai pas lu.

— Laisse faire. Je vais te faire lire *Jocelyne Trudel trouvée morte dans ses larmes*, ça va être plus dans le ton. Achète-le pas, je vais te le prêter. Tu le liras en fin de semaine, c'est pas ben long, c'est comme aller voir une pièce. On se donne rendez-vous lundi sans faute pour en parler. Je te prépare d'ici là un bon sujet de dissertation.

— Vous êtes sûre ? Les autres vont pas acheter ça pantoute.

— Ça les regarde pas, les autres. Tu vas faire le travail pareil, ce sera pas plus facile. Pis y le sauront pas…

— Euh… non, ben non, je le dirai pas.

— Bon.

— Mais vous me croyez, hein ?

— Ben oui, je te crois.

— C'est parce que vous avez dit au début de la session que ça prenait une preuve pour pas remettre un travail, pis là j'en n'ai pas, fait que vous êtes obligée de me croire de même, dans le vide.

— Si c'était pas vrai, ce serait ben triste, pour toi bien plus que pour moi, en fait, ça m'empêchera pas de pas dormir. Les mensonges, c'est comme tout ce qu'on regrette dans la vie, ça s'accumule dans l'estomac pis ça finit par faire des trous.

— C'est drôle, je m'appelle Trudel, moi aussi.

— Ah oui ?

— Brunante Trudel.

— C'est toi ça, Brunante ? C'est un beau nom, t'es chanceuse.

— Bof.

— T'aimes pas ça ?

— Pas vraiment.

— Sur le bord du fleuve, c'est tellement beau, la brunante. L'heure bleue.

— Bof, tout le monde m'appelle Bru. Ou Bru Tru, ou Brute.

— Ouin, c'est moins beau de même.

Les larmes rappliquent, elle vient de se rappeler pourquoi elle est là. Mais je n'ai pas des réserves infinies d'empathie.

— Fait qu'on s'entend pour que tu reviennes chercher le livre demain? Je vais m'écrire une note pour y penser. D'ici là tu parles à tes meilleures amies qui vont te le démolir, ce maudit écœurant-là qui te mérite pas.

— Oui, OK.

— Y a pas de Jocelyne dans ta famille toujours?

— Oui, une tante, c'est une vraie folle.

— Tiens donc!

Ça lui arrache un sourire, une délicieuse petite victoire pour moi, toute petite, une goutte de concentré de joie.

Elle n'est pas encore sortie qu'un autre élève, Ludovic, se pointe, comme tous les jeudis, pour son abrégé de cours manqué. Il me brode toujours des explications nébuleuses que ni lui ni moi ne croyons. Aujourd'hui, je vais pouvoir mettre en œuvre mon plan d'aide à la réussite élaboré rien que pour lui. Du sur mesure pédagogique comme en rêvent nos bonzes de l'éducation.

— Bonjour, madame.

— Bonjour.

Je lui fais l'un de mes plus beaux sourires, façon de dire je t'écoute, et dépose mes mains sur mes cuisses; je suis généreuse de mon temps, je dépose tout mon être pour t'écouter.

— J'ai manqué le cours d'hier.

— Oui.

— …

Il s'arrête là et attend, comme chaque fois. Je crois que c'est un être à qui on donnait de la nourriture quand il disait «j'ai faim» et qui opère seulement ici un transfert de compétence pour consommer ses cours.

— Ouuui.

— Vous avez pas parlé d'affaires importantes…?

— Me semble que non.

— Y avait-tu des feuilles à prendre?

— Non, je pense pas.

— Des notes de cours, des affaires pour l'examen?

— Non non, rien d'important. C'était un bon cours pour manquer.

— Ah.

— On se voit au prochain cours?

— Eeeee… oui.

— Parfait.

— …

— Bonne journée, Ludovic.

Il s'en va d'un pas hésitant, pas très rassuré, les mains dans les poches, le regard fuyant. Ce qui, par ailleurs, me rassure beaucoup. Mais je l'arrête avant qu'il ne soit rendu trop loin.

— Ludovic?

— Oui?

— Je t'ai souhaité bonne journée…

— Eeeee… oui.

— Tu m'as pas remerciée. Ou souhaité une bonne journée, à moi aussi.

Je lui fais le coup du grand sourire de matante pas drôle, les yeux exorbités.

— Ah! Ben… merci, bonne journée à vous aussi.

— Merci!

Je sais qu'il a tout compris, c'est un élève brillant. Je parierais d'ailleurs qu'il s'en va de ce pas trouver un ami qui pourra lui refiler les feuilles et les précieuses notes. Il sait lire un plan de cours, donc il sait qu'il y a un examen la semaine prochaine. Qu'il ait ou pas une bonne raison de manquer ses cours, il ne viendra plus quémander ce qu'il a raté. Au fond, la génération Y ressemble beaucoup à celles qui l'ont précédée, c'est à peine une autre génération. Si on retirait la variable «technologies» dans la comparaison des profils, les différences tiendraient dans un dé à coudre. Ils ont, par exemple, un sens de la formule qui traduit leur nouvel esprit de coopération : au lieu de dire «qu'est-ce que je peux faire?» quand ils manquent une évaluation, ils disent plutôt «qu'est-ce qu'on va faire?» quand ils se pointent devant le professeur qu'ils imaginent aussi angoissé qu'eux.

Je n'ai pas refermé assez vite ma porte de bureau : Collègue Voisine de Bureau se glisse dans l'entrebâillement. J'ai beau me mettre à pousser discrètement plus fort pour la forcer à reculer, elle résiste en posant sa main à plat au centre de la porte et son soulier bateau en équerre entre le plancher et le bas de la porte. Rien ne l'empêchera de me parler, pas même son orgueil.

— Je me demandais si t'avais regardé l'horaire commun des cours, je sais pas si c'est moi qui suis folle mais j'ai l'impression qu'ils chargent les plages de cours en fin de journée tu remarqueras les plages de quatre à six sont toutes occupées pis y a des gros trous en plein milieu de la journée j'ai vérifié y a pas de problème pour mettre des cours là mais tout le monde se relance la balle c'est comme pour les bureaux dans des petits racoins où y a plein de moisissures on a beau le savoir que c'est des vieux bâtiments y a toujours ben une limite quand des grosses coulisses descendent sur les murs...

— Lise?

— ... la petite Sophie qu'on vient d'engager fait des sinusites à répétition pis elle en faisait jamais avant...

— LISE?

— Oui?

— Est-ce que tu dors bien, la nuit?

— Ben moi je peux pas dire que je suis affectée par les moisissures parce que...

— Non non, je veux dire, est-ce que t'as des problèmes de sommeil, fais-tu de l'insomnie, en général ?

— Non. Ben oui, avant, y a longtemps. Là, je prends des somnifères. J'aurais pu prendre des antidépresseurs, mais mon médecin m'a dit que les effets secondaires sont pas agréables, la prise de poids par exemple, c'est déjà ben assez dur à notre âge avec le métabolisme qui change s'y faut s'en rajouter avec ça on s'en sort pas...

— Mon Dieu...

Cette femme ne souffre pas de logorrhée, elle a seulement une vis qui atterrit dans sa bouche. Freinée la nuit par la médication, elle se déchaîne le jour dans un chaos sonore ininterrompu, même sans interlocuteur. J'éprouve tout à coup une forme de sympathie pour elle, une tendre pitié. Le flot de ses idées mêlées trouve tout de suite la sortie, sans passer par la déchiqueteuse du cerveau. Je ne crois pas que ça la soulagerait d'apprendre que je suis comme elle. Surtout que je ne peux rien pour elle, même pas pour moi. Nous sommes sûrement nombreux. Alors je lui souris gentiment et referme ma porte très doucement.

Comme je verrouille la porte de mon bureau en partant, quelques minutes plus tard, j'aperçois au bout du corridor bordé de portes fermées ou entrouvertes deux de mes Y du groupe mardi-jeudi qui courent vers moi. Ça me donne l'impression d'être désirée par ces grands enfants, c'est agréable. Fugitif, mais bien agréable.

— Madame, on pensait pas vous pogner. On a une question.

— On va dans le bureau ?

— Non non, on voulait juste savoir si c'est vrai qu'y a un examen demain.

— Non, la semaine prochaine, comme c'est écrit au plan de cours.

— J'sais, mais y a du monde de notre cours qui disent que c'est demain.

— Mais non, c'est la semaine prochaine. Passez le message.

— OK, merci.

Et ils s'en retournent en gambadant, les pouces en émoi sur les claviers microscopiques de leur machine. La bonne nouvelle va faire le tour de la planète en une nano-seconde. C'est l'un des effets bénéfiques de la multiplica-tion des réseaux sociaux et de la dépendance qu'ils créent chez l'être humain : l'inavouable, aujourd'hui, c'est de dire « je ne savais pas ».

Devant la salle des casiers qui mène au stationnement, je croise une autre élève, pressée. Dans sa main, roulé serré, un roman aux pages cornées. Comme elle s'apprête à entrer dans l'aile B, elle m'aperçoit dans son angle mort, pivote sur un dix sous, lève bien haut le livre pour que je le voie, se le colle au cœur et ferme les yeux en penchant légèrement la tête. J'aime, madame. Quelque chose comme ça. Ensuite, elle rallume tout, me sourit et se sauve. Me sauve. Pour ça, et même seulement pour ça, j'enseignerais encore cent ans.

J'ai encore le réflexe de regarder mon poignet quand je veux connaître l'heure ; ça passera. Mon cellulaire affiche 16 h 37 en noir sur fond légèrement lumineux. L'information est la même. C'est un modèle dépassé qui me permet de l'être un peu moins et qui, surtout, affiche cette part de fantaisie qui m'habite – l'enveloppe, sertie de diamants, est rose électrique – et que je ne suis pas encore en mesure d'assumer autrement.

Joseph m'attend, j'y vais. Aujourd'hui, comme tous les jeudis, je fais des frites maison, le plus souvent taillées dans le matériau brut de la pomme de terre, durant la nuit précédente, entre deux copies. Déjà mes mains sont plus souples, j'arrive presque à peler ces grosses racines sans y penser. Une friteuse, c'est finalement tout ce que je me suis achetée après le départ de Philippe, tout ce qu'il m'aura fallu pour combler son absence. Une friteuse et un piano, pour Joseph, pour l'attirer à moi, lui donner tous les prétextes de s'inviter chez moi. Alors le jeudi, Mme Nadeau grimpe jusqu'à mes hauteurs beiges et nous préparons ensemble des hot-dogs pendant que Joseph torture le piano de Margot pour lui tirer quelque chose, une presque mélodie. Nous repoussons chaque jour les limites de notre patience. C'est un bon exercice pro-vie pour les bibelots. Je me suis mis de côté un duo de petits chandeliers en verre très coquets kitsch que j'ai volé à Philippe pour les cas d'urgence. Tu convoiteras le bien de ton prochain si cela te permet de ne point tuer.

Je ne dors pas vraiment mieux, mais je dors seule, c'est déjà une amélioration notable. Je peux ainsi mal dormir sans me le faire reprocher. Je peux même faire croire à tout le monde que je dors à merveille, personne ne peut affirmer le contraire. Sauf si on m'attrape pendant un accès de rage où j'assassine des vers de terre ou des poteries. Sauf si on se rend compte qu'il m'arrive de ne pas répondre à certaines questions très simples parce que je ne les comprends pas. Un peu comme la semaine dernière, à la pharmacie, où j'ai longuement regardé une dame qui cherchait le comptoir des prescriptions sans pouvoir lui répondre : malgré l'intuition que j'avais d'avoir déjà connu ce mot, « prescription », je ne le comprenais pas. J'ai seulement haussé les épaules.

J'ai voulu ma chambre, je l'ai eue. Il y fait plus froid que prévu.

Je fais chaque jour des efforts surhumains pour me maîtriser, contrôler mes impatiences, mes pulsions

destructrices. Quand je n'y arrive plus, j'avale un somni-
fère pour une réparation forcée du cerveau. Ce n'est jamais
du bon sommeil, mais vient un moment où la qualité est
un luxe inabordable.

J'ai par ailleurs décidé de m'attaquer au caractère
contre-productif de mes non-nuits, un peu comme ma
mère m'y avait forcée à une autre époque. Je n'ai plus à
faire semblant de repasser les chemises de Philippe, je n'ai
plus de livre de nuit et mon père n'est jamais ressorti du
mur sur lequel il s'était jeté.

Je me suis choisi un superbe nom à la sonorité *bri-
tish* qui conviendrait autant à un docteur qu'à une comé-
dienne d'à peu près n'importe quel type de série: Barbara
Westmoreland. C'est un nom qui a de l'ampleur, qui force
la bouche à des torsions peu communes, ce qui confère déjà
à la personne qui le porte une légitimité qu'on accorderait
moins à une autre Josée Gingras, par exemple. C'est comme
ça, les noms ont leur musique, leur système de classes.

Il ne s'agit cependant pas d'un pseudonyme: BW est
le vecteur, l'humain récepteur, d'un esprit transcendant
inventé de toutes pièces à qui j'ai donné un nom un peu
indien, Rashi, ce qui incite les gens à y croire puisque l'Inde
est un lointain berceau de la spiritualité. Rashi donne aux
hommes cette part de spiritualité qu'ils cherchent dans les
livres plutôt qu'en eux, convaincus que certains humains
ont des liens privilégiés avec des forces transcendantes
qu'ils situent dans un au-delà indéfinissable. Forte de l'im-
munité que m'accorde ma condition de chose vaporeuse
omnisciente, je rédige des livres de conseils sur à peu près
tout, m'autodéclarant spécialiste en ceci cela et *tutti quanti*,
au hasard des idées qui surgissent des profondeurs de ma
toute-puissance. Le processus est simple: Rashi transmet ses

enseignements à Barbara Westmoreland qui se les approprie et les transmet, au *je*, aux lecteurs dans le besoin. Les livres sont donc dictés par Rashi, signés par BW, mais écrits par Josée Gingras à qui les redevances sur les ventes sont versées en reconnaissance de son esprit créatif qui s'accommode merveilleusement bien de l'ombre. Je suis ma propre Sainte-Trinité. Ce que je raconte n'a pas de valeur en soi, mais cela importe peu, car ce que les gens achètent, c'est une forme de recette qui colle, souvent inconsciemment, à leur système de pensée du moment. Les gens les plus bouleversés par mes théories auraient pu les écrire eux-mêmes, ces thèses ; ils en ignorent seulement les formules. Du moment qu'ils ont payé pour obtenir le livre, une moitié des clients sont prêts à croire tout ce que l'esprit leur raconte ; du moment qu'ils l'ont lu, une moitié des sceptiques se laissent convaincre par le grand-rien bien enrobé de nos essais, ce qui assure statistiquement à Rashi une performance qui frôle les trois quarts de point assortie d'un avantage notable par rapport aux dieux de toutes les religions : on peut le renier sans conséquence en cas d'insuccès. Rashi n'enseigne pas le pardon et ne fait pas de chantage avec l'Après. Même que ça lui plaît d'être rejeté si ça peut rendre service, c'est une vapeur spirituelle très résiliente. Rashi est un dieu de son temps, jetable, interchangeable.

Mon génie est de ne rien inventer de nouveau pour ne dérouter personne, tout en créant l'illusion du neuf. Je fais un peu comme pour les pommes de terre en poudre : je prends chaque fois deux ou trois conseils surexploités que j'enrichis d'un verbiage accessible, à peine provocateur, et d'une bonne dose de témoignages et autres tranches de vies inventées, du petit-lait, à peine plus vrais que les histoires d'un arracheur de dents. Qu'importe, le lecteur fait corps avec l'esprit de Rashi et accepte tout. Ça finit par vraiment goûter les pommes de terre. Du moins, ça en imite parfaitement la texture, pendant trois cents pages, pour justifier le prix demandé. Avec son graphisme épuré, le livre est un petit bijou et donne l'impression d'une vraie bonne affaire.

Pour me préparer, je rédige des petites fiches, comme celle-ci, la plupart du temps avec l'aide de mon frère. En buvant une tsssit bière. Je les range ensuite dans ma valise fleurie écaillée, avec les notes et les ébauches que j'écris. Elle a gardé toute sa magie de Niagara Falls.

Sujet : perte de poids, minceur, régime.

Assises de la théorie (3) : manger moins, bouger plus, croire en sa beauté.

Phrase en exergue : Ce qui est raisonnable en alimentation, c'est d'être capable de ne pas l'être de temps à temps.

Titre punché : *Je fonds!*

Structure :

chapitre 1 : Manger moins.

chapitre 2 : Bouger plus.

chapitre 3 : Croire en sa beauté.

chapitre 4 : Mises en scène pour prévenir les causes de découragement (avec anecdotes humoristiques) et pour intégrer le « croire en sa beauté » efficacement.

chapitre 5 : Exemples types de journées parfaites (avec exemples d'écarts tolérés) et de journées à oublier.

chapitre 6 : Témoignages abondants et très touchants (après le rire, les pleurs salvateurs = catharsis)

En bonus, **la Boîte à trucs** :
Remplacez toutes vos vinaigrettes par du vinaigre blanc.
Poivrez abondamment pour donner du goût à ce qui n'en a pas.
Qui dort dîne, couchez-vous plus tôt pour échapper aux chips de fin de soirée.
Fabriquez-vous de la bière avec de l'eau gazeuse et quelques gouttes de colorant (vous pourrez, au choix, vous faire croire que vous buvez de la blonde, de l'ambrée ou de la rousse).
Etc.

Liens proposés : *Je m'aime donc il m'aimera* (opus 4)

Tout a commencé avec *C'est moi, le boss !* notre opus sur l'éducation des adolescents, un impromptu rédigé par un soir de coude léger. C'est dans le même esprit de pur plaisir que nous menons maintenant le reste de l'aventure. Quand l'engouement s'essoufflera, je me lancerai dans la rédaction de séries populaires en douze tomes ; j'ai quelques films de tête qui feraient de belles amorces. Et une banque de noms vendeurs : Thibaud de Morielle, Jim Road, Josh Riopel, Mona Joly, etc.

On me pardonnera l'exercice de création, je crois qu'il peut faire du bien. Dans le pire des cas, il ne fera rien du tout, ou peut-être rire, ce qui est, à tout prendre, encore mieux que rien du tout. J'avais besoin d'argent pour racheter l'appartement à Philippe, le piano de Margot, me payer une belle salle de bain en céramique faite des mains de Marco, des voyages, un nouveau chariot pour Joseph, tout en métal couleur métal, et tout le reste de toutes ces choses qui deviennent nécessaires à force d'avoir été souhaitées.

Quand l'étau du public curieux s'est resserré autour de Barbara Westmoreland, que ses lecteurs tenaient à rencontrer, il a bien fallu que je donne quelqu'un en pâture pour protéger mon anonymat. Qui pouvait mieux me couvrir, me protéger réellement, pleinement, tout en incarnant un grand esprit indien, que ma mère, cette femme qui m'aime plus que tout, plus qu'elle-même, qui a des idées sur tout et qui s'ennuyait beaucoup. Elle s'est donc fait une garde-robe, une tête d'auteure et elle court les salons du livre et autres foires, le sein piqué d'une cocarde qu'elle porte fièrement : Barbara Westmoreland, vecteur de Rashi. Elle est extraordinaire, s'intéresse à tout le monde et brode des petits conseils maison pour chacun avec le soin qu'elle mettrait à leur coudre des rideaux. Aux suspicieux qui lui demandent « Pourquoi vous ? », elle répond simplement, après avoir laissé passer un petit moment d'absence facile à confondre avec une réflexion profonde, « C'est vrai, pourquoi moi ? », avec un air pénétrant et mystérieux qui leur donne l'impression qu'ils font partie de la réponse. Ils s'en retournent la plupart du temps médusés, convaincus que ma mère est une excellente porte pour la Grandeur.

Il m'arrive de livrer les journaux avec Joseph, de temps en temps, quand il me reste un peu d'énergie à la fin de mes non-nuits. Le froid me mord la colonne, la marche m'inspire et me fait perdre quelques Jelly Belly. Dans le matin noir, en sortant de l'immeuble, le petit de moins en moins petit lève les yeux vers moi, qui suis collée à la vitre du salon comme un rémora en quête de vie à parasiter et, de là, je lui fais signe : un index levé si je veux dire une minute, une main pleine qui salue si je reste au chaud. Évidemment, ce n'est jamais quand je suis là qu'il se fait offrir des objets anachroniques sortis des méandres de l'Histoire. Encore le mois dernier, il nous a ramené une espèce de godendard un peu rouillé qui a fait peur à tout le monde. Madame Nadeau, qui aurait appelé la police sans hésiter, a scruté la lame à la recherche de gouttes de sang pour n'y trouver que de la poudre de bois très fine qui sentait encore «la bière d'épinette», donc l'épinette. Joseph ne prend plus la peine de raconter ses histoires, il voit bien qu'on ne le suit pas. Mais on continue de veiller au grain chacun de notre côté.

La semaine dernière, il est monté chez moi, comme souvent après l'école, pour jouer du piano. Trois dormait sur la table de la cuisine, bien installé sur ma pile de copies à corriger, le Mont de la Correction d'où il prêche sa doctrine: le salut est dans le sommeil. Sa patte de derrière, toujours esseulée, cachait à moitié les mots de la page de présentation sur laquelle Joseph s'est penché.

— Travail pré… senté à… Trois, tasse-toi… à Josée Gingras. Hein, c'est drôle!

— Oui, je sais.

— Josée, c'est comme Joseph, c'est presque pareil.

— …

— Est-ce que Josée c'est le féminin de Joseph?

Je n'avais pas remarqué. Vu comme ça, Josée, c'est presque joli.

Je rentre maintenant, Joseph m'attend pour les hot-dogs. Et Marco ne devrait pas tarder, s'il parvient à s'arracher aux griffes du chantier. Même s'il vient chaque jour vers moi un peu plus naturellement, je ne me leurre pas: je ne joue pas dans un film, il n'est pas mon Ça, mais quelque chose qui s'en approche, révélation divine en moins. On verra.

Le mois passé, le cow-boy est parti. Je suis sortie en courant quand je l'ai vu en train de charger un camion de déménagement avec deux autres hommes. Il n'y avait que quelques meubles, une guitare, des cadres. Il n'a pas eu l'air étonné de me voir débarquer en pyjama.

— Tu déménages?

— Oui.

— Où?

— En Abitibi.

Il n'a rien ajouté. Je ne lui ai rien demandé de plus; avec l'Abitibi, je pouvais me faire tout un tas de scénarios. Il est peut-être prospecteur d'or, ingénieur minier ou, mieux, poète. Jim s'est mis en route avec le lever du jour, comme un vrai cow-boy. Il a roulé quatre cents milles sous un ciel fâché et m'a laissée derrière, avec mon rôle à réécrire. Il n'aurait fallu qu'un chien cotonneux trottinant derrière lui dans la poussière soulevée pour une parfaite finale de western.

Corona est morte, victime innocente de la graisse secondaire. Elle ne mangeait depuis longtemps que des sandwichs laitue tomates sans mayonnaise et de la salade de chou vinaigrée. Mais après plus de quarante ans à respirer dans une mer de graisse en suspension, son cœur s'en sera gorgé jusqu'à l'éclatement. Elle n'emporte pas avec elle de grandes recettes, mais l'exemple d'une ardeur au travail d'une inébranlable constance. Les promoteurs se sont rués sur le petit commerce planté au milieu d'un grand terrain situé dans un coin de plus en plus recherché. La possibilité de tout raser pour construire des immeubles à condos qu'il serait possible de vendre à forts prix était évidemment très alléchante. Mais c'est moi qui ai remporté la mise, après avoir fait la promesse solennelle au frère de Corona que je me contenterais de rénover la pataterie et de lui trouver une nouvelle « petite » vocation. Dans les faits, j'en suis la copropriétaire, avec mon frère et ma mère, Rashi ne me fournissant pas des fonds illimités. À trois, nous avons les reins plus solides et des tas de bonnes idées. Déjà, les quinze places de stationnement sont devenues un jardin sauvage, entièrement constitué de fleurs et de plantes qui poussent naturellement sous notre climat. C'est Mme Nadeau qui a insisté : « Ça pousse mieux pis ça meurt moins que les autres affaires qui sont pas supposées pousser icitte. » Dans le coin le plus sablonneux du terrain, derrière la cabane, nous avons même planté des patates. Joseph aide son père à retaper la pataterie qui, déjà, par ses multiples ingéniosités architecturales, donne l'impression d'être deux fois plus grande de l'intérieur. Comme la maisonnette est très basse, on en voit très bien le toit vert depuis la rue ; du haut de mon quatrième étage, on pourrait croire qu'il s'agit d'un parc. Les curieux se font de plus en plus nombreux. On ralentit le pas, on fait des détours pour assister, semaine après semaine, à la lente transformation de ce coin de paradis jadis haut lieu de la friture. Les promoteurs, en bons vautours, continuent de nous inonder d'offres que nous refusons poliment, précisément parce que chacune d'elles confirme la valeur de notre investissement. En attendant d'en déterminer le destin, nous l'avons inscrit aux yeux de la loi comme un atelier de couture.

Paul m'envoie un énième texto du jour ; il me refile des idées pour notre essai sur l'amour. Sa proposition est pour l'exergue : « La passion est un fruit qui s'écrase au sol une fois mûr. » On va bien s'amuser. Le titre est déjà arrêté : *L'amour est un feu de camp.* Je n'invente rien, je l'ai dit.

8

— Tasse-toi, je vois rien.

— Moi non plus.

— OK, chacun notre tour.

— Penses-tu qu'y nous voit?

— Non, c'est trop éclairé de son bord, j'ai déjà vérifié.

Xavier est penché sur une pièce de bois, dans le garage désormais transformé en atelier. Les autos dorment dehors et ne s'en plaignent pas. Depuis la minuscule fenêtre de côté, nous essayons, mon frère et moi, de le regarder secrètement sculpter le couvercle d'un énorme coffre en bois : il déteste qu'on l'observe pendant qu'il travaille, alors on l'espionne. Ses professeurs de l'Institut d'ébénisterie sont apparemment unanimes : il est un fin couteau, un talent naturel.

— C'est pour qui, le coffre?

— Pour Léo.

— Naaaaan!

— Ça va être son cadeau de fête. J'y ai payé le bois.

— Je veux un fauteuil avec des bras sculptés!

— Va falloir que tu te mettes en file, y a déjà plus de clients qu'y peut en prendre.

— Ah oui?

— Quand t'es bon... Je pense qu'y tient ça de moi.

— Pfff...

— Ben oui, j'ai failli faire ma chirurgie.

— Mais non, c'est de moi, le bricolage…

— T'es juste sa tante.

— Les influences, ça compte autant que les gènes.

— T'as jamais fait de bricolage avec lui.

— T'as jamais fait ta chirurgie.

Mais la publicité pour les écoles de métiers, c'est moi. C'est notre petit secret, à neveu et à moi.

— C'est pas chaud pour les mains, dans le garage.

— Tu y as pas mis une chaufferette d'appoint?

— Oui, mais c'est pas vraiment isolé.

— Tu pourrais le faire isoler.

— Oui, mais y a pas de lumière naturelle là-dedans.

— Fais percer des fenêtres avant d'isoler.

— Les petits le dérangent tout le temps, imagine avec des fenêtres.

— Je connais quelqu'un qui te ferait des beaux rideaux pour pas cher.

— Non, mais Xavier va pas toujours vivre ici non plus. Ça prendrait une solution à long terme.

— OK. C'est quoi là, qu'est-ce que tu dis, là?

— Ben… je me demandais, peut-être que… vu que… étant donné que ça fait longtemps pis qu'y faudrait… pour la pataterie…

— Ouin…

— C'est la grosseur parfaite, la pataterie est tout en bois, avec un terrain vert de même en plus, ce serait concept, ça y ferait un atelier écœurant, le monde viendrait juste pour voir ça… Qu'est-ce qu'y a? Pourquoi tu ris de même? Attends, j'ai pensé à tout: on le laisse finir ses cours, y s'installe, dès que ça se met à rouler, si ça se met à rouler, mais ça va se mettre à rouler, y est tellement bon déjà, en tout cas, dès que l'argent rentre un peu, on y charge un loyer, quèque chose de raisonnable mais d'honnête, y pourrait même engager un autre gars, se monter une affaire, éventuellement on pourrait y vendre, ça se démode jamais le bois… QUOI? Qu'est-ce qu'y a? Maman est d'accord, c'était même un peu son idée…

— Paul…

— Je vais l'aider au début, je le prends sur moi, pis comme on n'arrive pas à trouver quoi faire avec…

— Paul!

— Oui?

— Une seule condition.

— Quoi?

— Je veux court-circuiter la liste d'attente pour mon fauteuil.

Je sens qu'on me suit. C'est lui, après tout ce temps. Ma vieille branche de père. Je savais bien qu'il allait se pointer.

— Je peux-tu venir faire un tour?

— Depuis quand tu demandes la permission?

— Je vérifie. Inquiète-toi pas, je vais fumer dehors.

— Voyons, je te laisse toujours fumer dans la maison.

— C'est pas une maison, c'est un condo.

— Recommence pas.

— Mais c'est beau.

— Essaye pas.

— Josée…

— Je sais.

— Ta mère est malade.

— Je sais, papa. Paul a téléphoné hier.

— Bon, tant mieux. Y va sûrement pouvoir la sauver.

— Non.

— Pourquoi pas?

— Parce que ça marche pas de même.

— C'est dommage.

— Ben oui.

— Ça fait cordonnier mal chaussé, mourir quand t'as un fils médecin.

— Tout le monde meurt.

— Mourir de maladie, je veux dire.

— On serait supposés mourir de quoi?

— De sa belle mort.

— Personne meurt de ça.

— Ben dans le temps les gens mouraient de leur belle mort.

— De maladies pas diagnostiquées qu'on appelait belle mort pour se faire accroire que tout était beau.

— Mais non.

— Papa, ça va être correct.

— Je sais.

— ...

— ...

— Est-ce que Paul t'a dit comment ça allait se passer?

— C'est comme accoucher, qu'y m'a dit: ça se passe jamais comme prévu. Fait qu'on prévoit rien, ça fait du temps de gagné.

— Qu'est-ce que vous allez faire, en attendant?

— Ce qu'elle voudra qu'on fasse.

— C'est un bon plan. Je vais vous aider. Je pourrais faire les gardes de nuit.

— Si y a des gardes de nuit à faire.

— Si.

— Je dors plus, de toute façon.

— Parfait, on veillera ensemble.

— On fera des mots croisés.

— On épluchera des patates pour se faire des frites.
— T'as une friteuse?
— Oui.
— C'est bon pilées, aussi, les patates.
— T'as faim?
— Non, t'es ben fine, ma belle.

Dans la même collection